Vivre

Harold Gagné

Vivre

Dix-neuf ans après la tragédie de la Polytechnique,
Monique Lépine, la mère de Marc Lépine, se révèle

Préface de Dan Bigras

Libre Expression

Une compagnie de Quebecor Media

Catalogage avant publication de Bibliothèque et Archives nationales du Québec et Bibliothèque et Archives Canada

Gagné, Harold

    Vivre : dix-neuf ans après la tragédie de la Polytechnique, Monique Lépine, la mère de Marc Lépine, se révèle
    ISBN 978-2-7648-0389-9
    1. Lépine, Monique. 2. Lépine, Marc, 1964-1989 - Famille.
    3. École polytechnique (Montréal, Québec) - Tuerie, 1989.
    I. Titre.

HV6535.C33M65 2008   364.1092   C2008-941916-2

Édition : JOHANNE GUAY
Révision linguistique : CAROLE MILLS
Correction d'épreuves : NICOLETA VARLAN
Couverture : MARIKE PARADIS
Mise en pages : JESSICA LAROCHE
Illustration de couverture : *Study of a Model Leaning on the Back of a Chair*, 1934 (crayon sur papier) par Henri Matisse (1869-1954)© Musée de l'Ermitage, Saint-Pétersbourg, Russie/ © Succession H. Matisse/ DACS/ The Bridgeman Art Library

Remerciements
Les Éditions Libre Expression reconnaissent l'aide financière du gouvernement du Canada par l'entremise du Programme d'aide au développement de l'industrie de l'édition (PADIÉ) pour ses activités d'édition. Nous remercions le Conseil des Arts du Canada et la Société de développement des entreprises culturelles du Québec (SODEC) du soutien accordé à notre programme de publication. Gouvernement du Québec – Programme de crédit d'impôt pour l'édition de livres – gestion SODEC.

Les Éditions Libre Expression
Groupe Librex inc.
Une compagnie de Quebecor Media
La Tourelle
1055, boul. René-Lévesque Est
Bureau 800
Montréal (Québec) H2L 4S5
Tél. : 514 849-5259
Téléc. : 514 849-1388

Dépôt légal – Bibliothèque et Archives nationales du Québec et Bibliothèque et Archives Canada, 2008

ISBN 978-2-7648-0389-9

Distribution au Canada
Messageries ADP
2315, rue de la Province
Longueuil (Québec) J4G 1G4
Téléphone : 450 640-1234
Sans frais : 1 800 771-3022

Diffusion hors Canada
Interforum

Préface

28 avril 1985. Je suis à l'université de Montréal devant l'endroit où on a jeté le cadavre de mon petit frère Guillaume une semaine plus tôt. Des gens l'ont embarqué dans un coffre d'automobile pour venir le jeter ici, comme un sac de poubelle. Assassinat? Accident de drogue alors qu'il n'en prenait plus depuis plus d'un an? Je ne sais pas. Je ne sais plus. Bizarrement, c'est à deux pas des atroces événements de la Polytechnique.

Une partie de moi est morte la semaine passée. Je regarde ce bout de terrain où son corps a été découvert au petit matin. Hébété, perdu, triste, désespéré, enragé je crois, je n'en suis même pas encore sûr... Ça viendra. Je deviendrai colère pure contre ceux qui ont fait ça, contre ma famille et surtout contre moi-même. Je n'ai pas été là, je n'ai pas su le protéger, je l'ai trop taquiné et même emmerdé quand nous étions jeunes. Des petits frères, ça s'emmerde toujours un peu pas mal les uns les autres. Ça a l'air inoffensif à l'enfance, mais quand on retrouve le cadavre de son petit frère dans un fossé, ça cogne.

Je resterai dans cet état longtemps, ce qui aggravera une période d'autodestruction intense. Autodestruction que ressent aussi mon père et qui aura finalement raison de lui quelques années plus tard, il se laissera volontairement mourir.

Étrange... J'aurais cru que ce sont plus souvent les mères qui en meurent. Elles ont porté leurs enfants dans leur ventre, c'est la chair de leur chair, le sang de leur sang. C'est vrai, mais je crois que les hommes ont besoin, pour pouvoir fermer le livre, d'une punition, d'une vengeance contre le responsable... Quitte à ce que le responsable... ce soit eux-mêmes.

Moi, je serai sauvé par le Refuge des jeunes de Montréal. Organisme extraordinaire qui essaie entre autres de s'arranger pour qu'on ne retrouve pas d'autres petits gars dans un fossé. J'apprendrai avec eux et principalement avec leur directrice, mon amie France Labelle, à ne jamais laisser l'horreur inutile.

Cela s'appelle l'utilitarisme. Prendre ce qui est sombre et même noir à l'intérieur et essayer de le rendre beau. Dans mon cas, par de la musique, de la poésie, du jeu d'acteur, de l'éclairage, bref, de la création. Ne pas garder les choses en dedans. Les sortir et, par la suite, les rendre utiles. Je ne succomberai pas comme mon père. J'essaierai de toute mon âme de faire partie de la solution.

Je crois être bien placé pour dire qu'essayer de comprendre ne veut pas dire cautionner. Je crois qu'il est nécessaire d'essayer de comprendre ce qu'on veut bien appeler «le monstre». Pour deux raisons, la première étant pour essayer de voir venir le prochain, et la seconde, pour essayer de trouver un minimum de sens et donc de paix dans l'horreur. Pour les victimes, pour les familles, pour tout le monde.

Je n'ai jamais vraiment trouvé de pistes intellectuelles à cette paix à laquelle j'aspire et que je crois avoir partiellement trouvée. Je n'ai trouvé que des pistes émotives. Elles sont tout aussi valables, mais plus difficiles et plus longues à trouver. Moins satisfaisantes sur le coup que la vengeance, mais constructrices au lieu de destructrices.

La tentation de la vengeance par ceux qui souffrent est très compréhensible. Par contre, je la conçois mal venant de politiciens en quête des votes de ceux qui souffrent et de ceux qui ont peur. Je la conçois aussi très mal venant de journalistes qui vendent la colère et la haine comme instruments de cotes d'écoute ou qui font passer la méchanceté pour de la force de caractère.

On n'a pas pu se venger sur le monstre, il s'est suicidé. On cherchera donc ailleurs, plus haut dans la «chaîne de commandement». La mère est sûrement une bien horrible personne, pour avoir élevé «le monstre». C'est un raisonnement bien facile, mais une supposition bien gratuite quand on ne connaît rien de sa famille.

L'explication facile et la recherche de la vengeance, qu'on camoufle souvent sous le mot «justice», ne sont évidemment pas des façons de comprendre. Elles ne sont que tentative de cacher les vrais problèmes, de les pousser derrière soi. Nous le faisons tous quand nous souffrons. C'est compréhensible, mais très dangereux. La souffrance ne se laisse jamais pousser derrière, elle ne fait que s'enfouir en dedans. Ce faisant, elle nous déforme petit à petit, jusqu'à ce qu'un jour elle éclate. C'est un comportement très dangereux pour une société.

C'est un comportement qui m'a beaucoup tenté moi-même et qui, quelquefois, effleure encore mes émotions. Retrouver les coupables, me battre avec eux et leur faire ressentir une douleur comparable à la mienne. Une espèce d'étrange communion dans la haine.

Maintenant, j'ai la chance de travailler beaucoup avec des jeunes de toutes sortes, dont entre autres des agressés sexuels.

Pourquoi, chez deux enfants agressés de la plus épouvantable façon, on en retrouvera un, des années plus tard, faisant de la prostitution, drogué jusqu'aux oreilles et pratiquant l'autodestruction avec une violence inouïe, alors que l'autre travaille comme intervenant auprès des agressés… et des agresseurs?

C'est généralement que le deuxième a compris que le combat de sa vie n'est pas contre l'agresseur, il est contre l'agression, contre la haine. Quand on veut combattre toute sa vie l'agresseur, il faut devenir plus gros que lui. Ce faisant, un jour, on passe devant un miroir et on trouve qu'on commence à lui ressembler.

On ne combat pas la haine par la haine, on combat la haine par l'écoute, la compréhension, même quand elle est douloureuse, et l'amour. Une société qui applique « œil pour œil, dent pour dent » finit par ressembler à une société borgne avec un dentier.

Je travaille depuis quelques années avec le docteur Julien, pédiatre exceptionnel qui a depuis longtemps compris le vieil adage qui dit que « ça prend un village pour élever un enfant ». Il travaille beaucoup avec des communautés arrivantes et il me cite souvent l'exemple, entre autres, des communautés africaines où il n'y a à peu près pas de « mères monoparentales ». Les enfants sont élevés par la mère, les oncles, tantes, cousins, grands-parents, bref, le clan.

En Occident, nous abandonnons les mères monoparentales. Il y a même des partis de droite qui veulent encore couper dans le seul semblant d'aide qu'on leur laisse. «Nous allons remettre les assistés sociaux au travail», disent-ils. Mais quand elles veulent travailler, on les accuse d'abandonner leurs enfants.

Qui sommes-nous pour abandonner ces mères comme cela ? Qui sommes-nous pour juger ? Pour juger avant de savoir ? Cela s'appelle préjuger. C'est bien satisfaisant, mais on va où ?

Parlons de Marc et nous maintenant. La colère qui mènera à la rage meurtrière chez un enfant est beaucoup plus commune qu'on ne le croit, mais cette colère se transforme la plupart du temps parce qu'elle trouve son chemin, son langage, son expression. Cela veut dire qu'il y a des gens prêts à écouter, à recevoir cette colère. Quand la colère est ouverte et reçue par des adultes, elle est reçue avec des barèmes, des limites, ce qui permet à l'enfant de s'exprimer, mais aussi de faire un certain ménage dans ses émotions, de les faire connecter avec du réel.

Les émotions qui ne seront pas écoutées, pas reçues, n'auront pas ce contact avec le réel et, faute de barèmes, mèneront avec le temps au délire. Un Marc Lépine, qui n'a, comme exutoire à sa rage et sa souffrance, que le meurtre d'innocentes victimes, de gens qu'il ne connaît même pas, n'est pas sain d'esprit. Je ne suis pas psychiatre, mais il est clair pour moi qu'il est en plein délire.

Étant victime du meurtre d'un être proche, ou même témoin, il est clair que la rage fera toujours partie de notre peine, mais afin de chercher un équilibre pour nous et pour notre société, il est d'une importance capitale pour nous aussi de reconnecter avec un certain réel. Il est primordial d'écouter ceux qui ont quelque chose d'important à nous dire. Pour essayer de reconnecter avec ce réel.

À ce titre, la lecture du livre de madame Lépine et de monsieur Gagné ne m'a pas apporté de réponses miracles, de révélations du Saint-Esprit. Elle m'a fourni beaucoup plus. Beaucoup d'émotions, beaucoup de vécu, beaucoup d'humanité. Bref, du réel.

Les trop nombreuses victimes de la tuerie de la Polytechnique, les nombreuses victimes de toutes les tueries, de toutes les violences, notre société et moi-même en avons bien besoin.

Dan Bigras

Mon souffle est court, ma tension artérielle augmente, la sueur perle sur mon front. J'ai le cœur serré. Nous sommes en septembre 2006 et un jeune homme vient de tirer dans la foule au collège Dawson de Montréal pour ensuite s'enlever la vie. Il a emporté avec lui, dans la mort, une étudiante et blessé de nombreuses personnes.

Je suis affolée et je pleure en regardant ce catastrophique spectacle à la télévision. J'ai très mal en dedans, comme il y a dix-sept ans. Je crois avoir le syndrome de la mère du tueur. Cela doit bien exister. Vous n'avez jamais entendu parler de ces symptômes qui détruisent la vie de celles qui ont enfanté un criminel ? On en discute rarement parce que les parents qui se sentent coupables des gestes assassins de leur enfant se cachent pour se faire oublier et ne plus y penser. Je ne me souviens pas que quelqu'un ait déjà voulu en témoigner comme je m'apprête à le faire.

C'est assez ! Il faut que quelqu'un se lève et parle ! En sortant de l'ombre, je ne souhaite qu'une chose : que cessent ces carnages, même si cela semble parfois impossible. Je veux aussi essayer de comprendre ce qui se passe dans la tête de ces tueurs, comme mon fils, Marc Lépine, qui a fusillé quatorze jeunes femmes, en 1989, à l'École polytechnique de Montréal.

J'aurais pu être une grand-maman s'amusant dans les parcs avec son petit-fils ou sa petite-fille, mais je ne le serai jamais. J'aurais pu être une mère comblée, une épouse heureuse, mais je ne l'ai jamais été. J'ai atteint un âge respectable où le passé est plus présent que l'avenir, bien que je boive chaque instant avec une immense soif de vivre. Cela n'a pas toujours été ainsi. J'ai déjà voulu me laisser emporter, mourir.

Les mots les plus simples, que j'ai choisi d'exprimer, ne pourront jamais décrire tout ce que j'ai ressenti au cours des dernières années. Je souhaite seulement qu'en partageant ces souvenirs, trop souvent tristes et malheureux, et leur transformation salutaire, vous trouviez vous aussi la force de traverser les épreuves qui vous accablent.

Je me suis souvent sentie bien seule. Vous êtes peut-être passé près de moi dans la rue, mais votre regard n'a pas croisé le mien. Il en aurait probablement été autrement si vous aviez su. Depuis longtemps, nombreux étaient ceux qui étaient à ma recherche pour m'interroger ou me consoler. Je fuyais.

Le 6 décembre 1989, la tuerie de l'École polytechnique de Montréal a détruit ma vie. Mon fils Marc a assassiné quatorze étudiantes avant de s'enlever la vie. Je le dis froidement, laissant croire que le drame est désormais derrière moi et que j'ai réussi après tant d'années à m'en détacher. C'est impossible. Un sentiment de culpabilité me ronge. Comment pourrait-il en être autrement?

Je m'en voudrais, pour le reste de mes jours, de commencer ce récit sans m'adresser directement aux parents et aux amis des victimes de la tuerie.

JE VOUS DEMANDE PARDON.

J'aurais voulu vous le dire avant, mais je n'avais pas la force de m'afficher. J'ai souffert en silence, maudissant l'injustice qui vous a été faite. Ma douleur ne disparaîtra jamais car, en plus de prier pour vous, je pleure mon fils, un criminel.

J'ai tenté de comprendre, au fil des ans, ce qui l'a conduit à commettre un acte aussi dément envers ces jeunes femmes. Elles me ressemblaient. Elles avaient elles aussi décidé de prendre leur place dans un monde trop masculin. Marc les a peut-être comparées à moi. Il m'en voulait certainement, mais ne me l'a jamais dit.

Je veux que ce soit clair. Loin de moi la pensée d'accepter le geste commis par mon fils et de m'apitoyer sur son destin diabolique. Il a emporté avec lui des secrets que je commence à peine à décoder. Laissez-moi vous raconter…

Monique Lépine
4 août 2007

Il y a 365 jours dans une année. Je n'en connais que 364. Chaque fois que j'achète un nouveau calendrier je biffe le 6 décembre. J'ai rayé cette date de ma vie en 1989. Je ne pourrai jamais l'oublier; c'était un mercredi. Le temps des fêtes approchait et de nombreuses décorations de Noël ornaient les rues de la ville. Je suis sortie de chez moi en respirant à pleins poumons l'air hivernal mais doux pour cette période de l'année, en me disant que, malgré toutes les difficultés quotidiennes, la vie était belle. J'avais l'éternité devant moi. En montant dans ma petite voiture et en roulant vers un hôtel de Laval, je songeais à tous ces hommes et ces femmes, souvent plus jeunes que moi, que j'avais accompagnés dans la mort durant les dernières années. On ne sait jamais ce que le destin nous réserve.

Pendant qu'à la radio on jouait des airs du temps des fêtes, les kilomètres de route défilaient. Je me suis mise à penser à la formation que j'allais donner aux responsables de soins infirmiers des établissements de santé privés du

Québec. Je n'étais plus infirmière soignante depuis quelques années. J'occupais un poste de gestion en tant que conseillère professionnelle. Cette ascension, dont j'étais très fière, réalisée à force de travail acharné et d'études à temps partiel, m'avait permis de nourrir et de bien faire vivre mes deux enfants.

Les dernières années n'avaient pas été faciles. Après une séparation en 1971 suivie d'un divorce en 1976, j'étais devenue une mère monoparentale à une époque où les femmes commençaient à prendre leur place sur le marché du travail.

La journée du 6 décembre s'est déroulée très rapidement, sans que je puisse me douter qu'un terrible drame était en préparation. Après le coucher du soleil, j'ai redécouvert, comme à l'habitude, mon petit appartement dans le quartier Centre-Sud. À l'heure du souper, pour oublier ma solitude, j'ai allumé mon téléviseur. Les premières images montraient des policiers et des ambulanciers paniqués qui couraient dans la neige. Ils sortaient des blessés de l'École polytechnique pendant que des reporters, éberlués, tentaient d'expliquer à leur public ce qui se passait. Selon les premières informations, au moins un individu avait ouvert le feu sur plusieurs étudiantes en génie et s'était enlevé la vie. J'étais atterrée par cette nouvelle et par la bêtise de cet homme.

Pendant toute la soirée je n'ai pensé qu'à ce drame épouvantable. Je fréquentais régulièrement une église baptiste, dans l'est de Montréal. Le petit bâtiment de briques rouges, construit en 1912 et caché au milieu des commerces disparates, ressemblait à un monastère. En gravissant les marches, puis en ouvrant la lourde porte principale, on découvrait une grande salle aux murs blancs dégarnis et dont le sol était recouvert d'un tapis gris. Près de l'autel, une affiche sur laquelle était inscrit «Jésus dit : Je suis le chemin, la vérité et la vie[1] » rappelait constamment que la pièce, décorée modestement, était un lieu de culte. Nous étions une trentaine de membres de l'Église, réunis en cercle et assis sur des chaises inconfortables pour une période de recueillement. Les yeux remplis de larmes et les émotions à fleur de peau, j'ai élevé la voix et j'ai demandé qu'on m'écoute. Tous les regards se sont tournés vers moi.

— Je vous demande de prier pour la mère du tueur de la Polytechnique !

Ils ont tous acquiescé, sentant probablement comme moi le besoin de se libérer d'une grande peine après avoir appris l'atroce nouvelle. Pendant que je me recueillais en silence, d'autres s'adressaient à haute voix à Dieu. Mon esprit s'était envolé et était bien loin de la petite salle de rencontre.

— Pauvre femme, pauvre mère de famille, me suis-je dit à voix basse. Pourra-t-elle se relever d'une telle épreuve ?

Si je pensais tellement à elle, c'était parce que j'éprouvais moi aussi des difficultés avec mon fils et ma fille. Être mère est une énorme responsabilité. Cette nuit-là, je me suis endormie en me rappelant ce proverbe : « Un fils insensé est le chagrin de son père, l'amertume de celle qui l'a enfanté[2]. ».

Le lendemain, le monde entier savait ce qui s'était passé. Le Québec était en état de choc. Dans les journaux, à la radio et à la télévision, on ne parlait que de cela. Dans une course à l'exclusivité, les reporters tentaient de savoir qui était le monstre qui avait pénétré à l'intérieur de l'université pour abattre de sang-froid ses victimes. Sans même connaître son identité, certains psychologues le

---

1. La Bible (Tob), Jean 14 : 6.
2. La Bible (Tob), Proverbes 17 : 25.

décrivaient comme un homme frustré qui voulait porter un dur coup au féminisme en tuant de façon préméditée des étudiantes en ingénierie. Pour se faire entendre de toute la société, l'assassin misogyne avait sacrifié des symboles, des femmes qui voulaient obtenir des emplois pendant longtemps réservés aux hommes.

J'ai eu beaucoup de difficulté à me concentrer durant ma deuxième journée de formation qui se poursuivait à Laval. J'essayais d'oublier les événements tragiques de la veille, mais je n'y parvenais pas. Cette véritable obsession était alimentée par les discussions que tous les participants avaient entre eux. Ils ne cessaient de parler du drame de l'École polytechnique.

— Crois-tu qu'il avait planifié depuis longtemps de tuer ? disait l'une.

— Ça doit être horrible de ne pas pouvoir s'échapper et de sentir qu'on va mourir, répondait l'autre.

À la fin de la réunion, j'étais exténuée, mais en même temps heureuse de monter à bord de ma voiture européenne pour retourner à la maison. Même s'il n'était pas encore 18 heures, la nuit était tombée. La route était glacée par endroits et la visibilité légèrement réduite. Dans la froidure, les tuyaux d'échappement des véhicules soufflaient des nuages de combustion en expulsant les gaz des moteurs. Prise au milieu d'un bouchon de circulation, je me suis dit que ce ne serait pas plus long de bifurquer vers l'ouest, en enfilant les changements de vitesse manuels de ma Renault 5, et de passer au bureau pour faire des photocopies des dossiers qui allaient me servir pour ma dernière journée d'enseignement le lendemain.

L'Association des centres hospitaliers et centres d'accueil privés conventionnés du Québec, pour qui je travaillais, louait des locaux dans un édifice du centre-ville, situé au 300, rue Léo-Parizeau, près de la très achalandée et cosmopolite avenue du Parc. En arrivant près de l'immeuble, j'ai constaté qu'il y avait, contrairement à l'habitude et malgré l'heure aussi tardive, de la lumière au dixième étage, où se trouvait mon bureau. J'ai pris l'ascenseur et je suis montée. J'ai ouvert la porte et constaté qu'il y avait beaucoup de monde, de l'agitation et de la nervosité dans l'air. Je n'ai pas eu le temps d'enlever mon manteau. Mon patron, l'air fâché et les yeux menaçants, m'a apostrophée.

— Va dans ton bureau immédiatement. Il faut que je te parle !

Sa gentillesse proverbiale avait disparu. Qu'avais-je pu faire de mal pour avoir droit à un tel accueil ? Je n'ai pas discuté son ordre. Soumise, comme je l'ai toujours été, je me suis dirigée rapidement vers mon bureau. Mon premier réflexe a été de vérifier si les secrétaires m'avaient laissé des messages. Mon frère aîné voulait que je le rappelle le plus rapidement possible. Que pouvait-il bien me vouloir ? On ne se parlait presque jamais. Intriguée, j'ai composé son numéro. Il a répondu aussitôt et sa voix tremblotante n'était pas comme à l'accoutumée. Je n'ai pas eu le temps de placer un mot.

— On pense que Marc est le tueur de la Polytechnique !

Je suis restée sans voix, bouche bée, assommée. C'était impossible. J'ai raccroché, car mon directeur général arrivait sur ces entrefaites et me dévisageait comme s'il voulait m'accuser d'un crime. Il n'a pas eu besoin de parler. Ses gestes maladroits et son regard inquisiteur confirmaient ce que je venais d'apprendre de la bouche de mon frère. Mon corps tremblait. J'étouffais pendant que les cloisons de la pièce me donnaient l'impression qu'elles se rapprochaient de moi et qu'elles m'emmuraient. J'ai tenté de me relever, mais mes jambes trop molles ne pouvaient plus me porter. Je me suis effondrée et j'ai crié toute la peine qui me déchirait les entrailles.

— Madame Lépine, vous allez devoir nous suivre !

J'ai levé la tête en tentant, du revers de la main, d'essuyer mes larmes. Devant moi, deux gaillards cravatés, avec des carrures de joueurs de football, venaient d'apparaître et se tenaient dans l'embrasure de la porte. Ils attendaient, incertains, que je réagisse. Je demeurais muette et je ne pouvais contenir mes sanglots, pendant qu'ils s'approchaient lentement de moi pour m'aider à me relever et m'entraîner vers la sortie, me soutenant chacun de leur côté. Mes pieds ne touchaient pas le sol. Je suis passée en vitesse au milieu d'un cortège formé de confrères et consœurs de travail éberlués. J'ai aussi remarqué ma fille, Nadia, et quelques membres de ma famille, figés dans un coin, qui tentaient de se réconforter. Que faisaient-ils là ? J'étais trop consternée pour leur adresser la parole.

— Madame Lépine, qui va identifier le corps ? a demandé maladroitement un des policiers.

— Pas moi ! Non, ne me demandez pas cela, lui ai-je répondu en sortant de mon mutisme.

Un de mes frères, devant qui je venais de passer, a eu pitié de moi et a dit aux enquêteurs qu'il irait voir le cadavre. J'ai à peine eu le temps de le remercier, les détectives m'entraînaient vers la sortie. Il ne m'a jamais raconté sa visite à la morgue, mais cela a dû être horrible. J'ai su par la suite que Marc s'était tiré une balle dans la tête et que son cerveau avait éclaté.

— Vous devez nous conduire chez vous. On aurait besoin d'une photographie récente de votre fils, m'a dit un des détectives.

Je ne réagissais pas. J'avais trop mal en dedans. J'avais envie de m'étendre dans le stationnement et de me laisser écraser par la première voiture qui passerait. Je savais que les policiers ne me laisseraient pas faire. J'étais leur précieuse prisonnière, la mère qui pouvait probablement leur dire pourquoi son fils était devenu un meurtrier.

— Je vais prendre mon auto. Vous n'avez qu'à me suivre jusqu'à mon appartement, leur ai-je proposé.

— Pas question. Vous devez embarquer avec nous, a répliqué l'un des deux, en me saisissant à nouveau le bras.

Ils m'ont ouvert machinalement la portière pour que je m'enfouisse dans l'habitacle arrière de leur grosse cylindrée banalisée et ont pris d'assaut les principales artères de Montréal, nous conduisant jusque dans la rue Malo, à proximité du pont Jacques-Cartier. C'est là que je demeurais, seule, depuis 1987, dans un immeuble en copropriété.

Pendant toute la durée du trajet, il y eut des silences entrecoupés de pleurs. Le chagrin et la peur me rongeaient trop pour que je puisse m'exprimer. Par moments, au passage, mon regard effaré fixait le plus longtemps possible les ornements de Noël installés sur les façades des commerces et des maisons. Tout ce qui me semblait si beau, si lumineux, il y a quelques jours à peine, n'avait plus la même intensité. Je m'essuyai les yeux et les joues avec le mouchoir qu'un des policiers venait de me donner. Il me semblait que mes larmes ne pourraient plus jamais se tarir.

Le temps s'était arrêté. Les idées s'entrechoquaient dans ma tête et je ne cessais d'imaginer le carnage de la Polytechnique, le sang qui se répandait partout.

— Nous sommes arrivés, me dit un des enquêteurs, me tirant de mes pensées les plus macabres.

Je suis passée devant eux pour gravir jusqu'au deuxième étage l'escalier faiblement éclairé. Je regardais continuellement à gauche et à droite en souhaitant qu'aucun voisin n'apparaisse devant nous. Ils me verraient, dépeignée, le maquillage défait, ne cachant plus mes défauts. Pire, ils pourraient s'imaginer, en voyant les policiers, que j'avais commis un vol ou un meurtre. Je me suis dépêchée et j'ai réussi, en tâtonnant, à trouver mes clefs au fond de mon sac à main et à ouvrir la porte. Rares étaient les hommes qui étaient entrés chez moi depuis ma séparation, dix-huit ans plus tôt. En pénétrant de force dans mon repaire, les agents de la paix violaient mon intimité. J'ai allumé la lumière en souhaitant que Marc soit assis au salon et qu'il me saute dans les bras en criant :

— Bonne fête, maman. On t'a joué un tour. Je ne suis pas un meurtrier !

C'est fou tout ce qui nous passe par la tête lorsqu'on a la conviction de devenir cinglée.

— Madame Lépine, avez-vous une photo de votre fils ? m'a demandé encore une fois un de mes gardes du corps.

Je marchais comme un zombie en me dirigeant jusqu'à la grande bibliothèque installée dans le corridor près de la cuisine.

« Trouver une photo de Marc, trouver une photo de Marc », c'est ce que je me répétais sans cesse dans mon délire, conditionnée à ne pas décevoir les enquêteurs.

J'avais beau fouiller dans la petite boîte où j'avais mis pêle-mêle quelques souvenirs, je ne trouvais rien. Marc n'a jamais aimé se faire photographier. Je ne sais pas vraiment pourquoi. Cela a peut-être un lien avec ce qui s'est passé quand son père nous a quittés alors qu'il n'avait que cinq ans. Il a emporté avec lui toutes les photographies des enfants. Mon fils croyait peut-être que les images ne servent à rien parce qu'elles peuvent disparaître ou être détruites. Il avait probablement l'impression d'avoir perdu son enfance, car il n'avait plus aucune preuve matérielle qu'elle eût existé. Une photo de lui, couché dans un landau et entouré de ses parents, le sourire aux lèvres, lui aurait certainement apporté un certain réconfort, et la confirmation qu'il avait déjà été heureux.

— J'ai trouvé, j'ai trouvé ! ai-je crié après quelques minutes de recherches.

Au milieu de la pile, il y avait cet instantané, pas très réussi, pris lors d'une rencontre de famille, quelques mois auparavant. C'est l'ami de ma fille qui avait réalisé le cliché à la fin de la soirée, devant les rideaux blancs du salon. Marc, immobile, le regard vitreux, avait finalement accepté de se faire photographier avec le petit groupe.

— C'est la seule photo récente que je possède de Marc, leur ai-je avoué.

— Je crois que ça va aller, m'ont-ils répondu.

Innocemment, je leur ai tendu l'image sans jamais leur demander pourquoi ils voulaient tant savoir à quoi ressemblait le tueur de l'École polytechnique. C'était certainement pour pouvoir l'identifier correctement. Je me trompais. Dès le lendemain, la photographie floue, horrible, découpée autour du visage de Marc, pour ne pas que les autres figurants soient reconnus, et agrandie plusieurs fois, se retrouvait dans tous les quotidiens. Le monstre avait un visage, une tête ébouriffée avec une barbe qui lui donnait l'allure d'un faux prophète ou d'un voyou. En le voyant à la une, les gens disaient que mon fils était laid. Il n'avait rien d'une vedette de cinéma, mais je le trouvais mignon. Mon nom, celui de sa mère, profondément blessée et traitée comme une criminelle, commençait à circuler.

Ce soir-là, j'aurais voulu crier au secours, appeler des amis pour qu'ils me viennent en aide, me cacher dans un coin de mon quatre et demi et pleurer sans fin. La police ne voulait pas me laisser tranquille. Après avoir fouillé rapidement chacune des pièces de mon condo, à la recherche d'indices, ils déclarèrent forfait.

— Madame Lépine, vous devez nous suivre au bureau des enquêtes criminelles.

— Pourquoi ? J'ai rien fait, moi !

— Des collègues veulent vous parler de votre garçon.

Pour la première fois depuis qu'on m'avait annoncé que Marc était un assassin, je ressentais de la colère et un dégoût pour les forces de l'ordre. Aussi doux et attentionnés qu'ils pouvaient être en apparence, les deux flics, stoïques, répondaient aux ordres de leurs supérieurs. Ils remplissaient une mission et n'avaient pas à se soucier constamment de ce que je pouvais ressentir.

Affaiblie, fiévreuse, je grelottais lorsqu'on me conduisit en soirée au bureau des enquêtes criminelles de la police de Montréal, alors situé rue Gosford, à quelques pas de l'Hôtel de ville. C'était un bâtiment austère avec sa façade ornée d'immenses colonnes et ses blocs de béton qui le faisaient ressembler à une forteresse. Je descendis rapidement de la voiture, dès qu'on eut déverrouillé la portière, bien décidée à en finir une fois pour toutes. Je fus conduite au quatrième étage, dans une petite pièce sans fenêtre, meublée d'une table rectangulaire et de quelques chaises, où l'odeur du tabac et de la fumée de cigarette me donna la nausée.

— Vous pouvez vous asseoir, me lança un nouveau détective en refermant brusquement la porte sur mon passage pendant que le second me désignait la chaise du fond.

Ils étaient assis, l'un à ma gauche, l'autre à ma droite, aux deux extrémités de la table, et se mirent à me bombarder de questions.

— Est-ce que vous pouvez nous relater la vie de votre fils, Marc Lépine, au meilleur de votre connaissance? demanda le premier.

— À quels endroits a-t-il étudié et en quelles années? enchaîna l'autre, sans me laisser le temps de répondre.

— Prenait-il de la drogue?

— Non!

— Prenait-il de l'alcool?

— Non!

— Vous n'avez rien remarqué d'anormal chez votre fils durant les derniers jours? insista l'un des deux en inhalant la fumée de sa cigarette qu'il expulsait nerveusement par sa bouche et ses narines.

Quand il ne me posait pas de question et donnait toute la place à son collègue, non fumeur comme moi, il avait l'air songeur et laissait pendre son mégot entre ses doigts jaunis. J'étais pétrifiée et je répondais tout ce qui me passait par la tête. Je n'arrivais pas à me concentrer. Ma pensée était altérée par le chagrin. Malgré cela, le manège se poursuivait inlassablement.

— Où est le père de votre fils?

— Je ne l'ai pas revu depuis 1971 et il n'a jamais pris soin de ses enfants. Il ne m'a même pas versé la pension alimentaire de soixante-quinze dollars par semaine qu'il me devait!

— En quelle année votre fils a-t-il étudié dans une polyvalente de l'ouest de l'île?

— Calculez donc vous-mêmes et fichez-moi la paix!

Étonnés par ma réplique cinglante, ils ont compris que j'avais besoin d'arrêter, de respirer, et pour la première fois depuis plus d'une heure, ils n'ont pas insisté. Ma bouche était pâteuse, desséchée. J'avais très soif et mon estomac criait famine. Je n'avais rien ingurgité depuis le repas du midi; personne ne s'en préoccupait. Ma vessie me faisait très mal; je me retenais depuis trop longtemps.

— Est-ce que je pourrais aller aux toilettes?

C'était la première question que j'osais poser. Ils se regardèrent innocemment, l'air décontenancé.

— Allez-y! Nous allons vous accompagner.

La lourde porte de la salle d'interrogatoire s'ouvrit finalement, me redonnant un court instant un semblant de liberté. Un nuage de fumée de cigarette accompagna ma sortie. En me rendant jusqu'aux toilettes des femmes, j'aperçus du coin de l'œil ma fille, Nadia, assise non loin de là. Subissait-elle le même supplice? Pauvre petite, elle n'y était pour rien. J'aurais voulu lui parler, lui dire que je l'aimais, mais on m'en empêcha.

Heureusement, le policier qui me suivait pas à pas ne pouvait pas m'accompagner au-delà de la porte de cet endroit strictement féminin. Quelle délivrance ! En sortant du cabinet d'aisance, je me suis rafraîchi le front avec l'eau froide qui coulait en filet du robinet et je me suis penchée pour prendre une petite gorgée. Cela me fit un bien immense. Le miroir me renvoyait l'image d'un être épuisé. Je ne me reconnaissais pas. Mon teint était pâle, mes yeux bouffis. Les pleurs avaient amplifié mes rides. Je pris une grande inspiration, replaçai le col de ma blouse froissée, et je rejoignis le policier qui m'attendait impatiemment près de la porte.

Mon calvaire n'était pas terminé. Les questions fusaient de toutes parts pendant qu'un des enquêteurs remplissait encore le cendrier de mégots mal éteints.

— Pourriez-vous me donner une cigarette ? lui demandai-je.

J'avais cessé de fumer depuis plusieurs années, mais je n'en pouvais plus. Tant qu'à respirer sa boucane, aussi bien en griller une. Celui qui était le plus près de moi se leva, me tendit le paquet et frotta une allumette. La première bouffée m'étourdit.

— Madame Lépine, nous aimerions vous faire rencontrer un psychiatre.

Je n'ai même pas posé de questions et j'ai accepté. Ils avaient peut-être décelé un brin de folie dans ma façon de me comporter. Mon cerveau ne pouvait plus rien emmagasiner tellement il avait été éprouvé. Je ne me souviens plus des questions ni des réponses que j'ai fournies.

Après m'avoir mise à l'épreuve pendant deux heures, ce qui m'avait semblé une éternité, ils ont accepté de me relâcher en me donnant un avertissement.

— Vous ne pouvez pas rentrer chez vous. Nous vous le déconseillons fortement, car de nombreux journalistes font le pied de grue devant votre résidence. Nous allons vous conduire à l'hôtel.

— Aller à l'hôtel? Quel hôtel? Je n'ai pas d'argent. Je connais quelqu'un qui pourrait peut-être me recevoir.

Je les ai suppliés de m'écouter et ils m'ont permis d'appeler mon pasteur, qui demeurait dans l'est de la ville. Je conservais précieusement dans un petit carnet la liste des membres de l'Église que je fréquentais depuis deux ans. Auparavant, je n'aurais jamais osé déranger une personne à une heure aussi tardive, mais j'étais convaincue qu'il était le seul à pouvoir comprendre mon désarroi. Cet homme était prédicateur mais aussi criminaliste de formation, et il accepta de m'héberger. J'arrivai à sa demeure, rue Paul-Pau, dans Anjou, épuisée, le pas chancelant, sans vêtements de rechange. Les policiers attendirent qu'il m'ouvre la porte avant de partir en faisant rugir le moteur de leur grosse bagnole.

Le pasteur, que j'avais osé tirer de son sommeil quelques minutes plus tôt en faisant sonner son téléphone, se tenait droit et compatissant dans le vestibule, aux côtés de son épouse, emmitouflée dans sa robe de chambre. Il me prit dans ses bras et me serra très fort en me disant:

— Pauvre Monique!

Il n'avait pas besoin de dire autre chose. Les mots ne servent à rien quand on se meurt de peine. J'ai encore une fois fondu en larmes, mais je sentais ses larges mains chaudes dans mon dos et cela était très réconfortant. Personne ne m'avait tenue dans ses bras depuis longtemps.

Le couple m'invita à descendre au sous-sol. Le craquement des marches de bois brisait le calme qui régnait dans la maison. La pièce sentait légèrement l'humidité. Elle était grande et sombre, décorée modestement. En guise de mobilier, un vieux divan-lit avait été placé dans un coin à proximité d'un bureau de mélamine. Il y avait aussi une petite salle de bains. Tout était brun, triste, d'une autre époque, mais cela n'avait aucune importance. J'avais un toit, un endroit où me réfugier et me sentir en sécurité.

Après m'avoir donné à boire et à manger, ils me posèrent quelques questions sur ce qui venait de m'arriver. Voyant dans quel état j'étais, ils n'insistèrent pas. Je me couchai, vêtue d'une chemise de nuit en flanelle qu'ils m'avaient prêtée. Je leur ai demandé qu'ils n'éteignent pas la lumière. J'ai toujours eu peur dans le noir. Encore plus cette nuit-là. Je craignais que Marc revienne sur terre pour m'achever.

Un homme tente de me tuer. Je cours dans un long corridor très sombre et son arme à feu puissante crache des rafales de projectiles qui me brûlent la peau. Je me réfugie derrière un mur, mais je ne réussis pas à le semer. J'ai de plus en plus de difficulté à respirer. Le bruit de ses lourdes bottes, qui frappent le sol d'un pas cadencé, m'horrifie. J'entends au loin les cris et les pleurs déchirants de jeunes femmes désespérées, mais je ne les vois pas. L'ombre de celui qui me pourchasse recouvre les murs et je distingue tout à coup un long poignard luisant qui va me transpercer la chair. Le visage de mon agresseur, bavant de satisfaction, apparaît et il prend soudain conscience de ce qu'il vient de faire.

— Oh! *Shit!* lance-t-il avant de fuir.

Mes mains frôlent le liquide chaud qui coule sur mon ventre puis se répand partout sur mon corps. La sueur me baigne; mon cœur se débat. Je crie d'épouvante et j'ouvre les yeux au milieu de la nuit sans savoir où je suis. La notion du temps m'échappe et je reprends lentement conscience. Je suis toujours en vie. Je ne saigne pas. C'était un cauchemar. Mais la sensation de bien-être est de très courte durée, car l'angoisse m'envahit à nouveau lorsque je pense à tout le mal que mon fils a fait. Je crois que je n'aurai plus jamais la force de me lever de ce sofa et de quitter le sous-sol de mon pasteur, où je me suis réfugiée pour échapper aux journalistes. Je voudrais m'endormir à nouveau et ne plus jamais me réveiller, tellement la honte, l'angoisse, la culpabilité et surtout la tristesse m'assaillent.

J'ai gardé les yeux ouverts, interminablement, jusqu'au petit matin. Lorsque les premières lueurs du jour sont apparues, j'avais la nette impression d'avoir vaincu Satan, le prince des ténèbres. Qui d'autre que le diable avait pu pousser mon enfant à tuer sans raison ? Au cours du petit-déjeuner, servi dans la cuisine familiale, j'ai partagé mes nombreuses inquiétudes avec mon ministre du culte et sa femme. Je ne pouvais pas admettre que mon fils s'était suicidé sans me laisser un message et qu'il avait emmené avec lui quatorze innocentes. Ce n'était pas l'enfant que j'avais connu. Tout cela était irréel et me faisait sombrer dans la dépression.

Me voyant dépérir à vue d'œil, mes hôtes ont contacté un de leurs amis, dont le travail consistait à faire de la recherche pour une compagnie pharmaceutique. Il m'a apporté des antidépresseurs, qui m'ont fait beaucoup de bien. Comment a-t-il fait pour s'en procurer sans ordonnance ? Je ne le sais pas. Cela me laissait complètement indifférente. Je ne savais même pas quel médicament on me donnait.

Ils ont aussi eu la bonne idée de joindre ma psychologue. Je la rencontrais régulièrement, depuis neuf mois, pour vaincre mes angoisses. Tourmentée par la vie quotidienne après le départ des enfants de la maison, je cherchais déjà une signification à mon existence. Ma psychologue s'est assise près de moi, sur le divan du sous-sol, et n'a pas prononcé une seule phrase. J'ai posé ma tête sur son épaule en sanglotant. Elle était un rempart qui m'entourait de ses bras et me défendait des pires sentiments qui envahissaient mon âme. Son calme me soignait. Elle est repartie quelques heures plus tard en promettant de m'aider à traverser les épreuves. Cela me donna une petite dose d'énergie pour affronter tout ce qui s'en venait.

— Monique, il va falloir s'occuper de la dépouille de Marc, me dit le pasteur le lendemain. Je te suggère aussi de consulter un notaire le plus rapidement possible pour empêcher que les familles des victimes te poursuivent en cour.

J'ai suivi son conseil et, le vendredi 8 décembre, après être allée chercher ma voiture, toujours garée près du bureau où je travaillais, je me suis rendue avec ma fille chez le notaire que j'avais consulté lors de l'achat de mon condominium. J'ai ratifié une entente qui me mettait à l'abri de procédures judiciaires en refusant le maigre héritage de mon fils. Je suis ensuite passée en coup de vent chez moi, en entrant par la porte arrière de l'appartement, pour récupérer des vêtements et quelques effets personnels. Des journalistes montaient la garde devant l'édifice, mais je réussis à les éviter. Certains avaient laissé des messages sur mon répondeur ou sur mon balcon, dans l'espoir que je leur donne signe de vie. Il n'était pas question que je leur parle. Qu'est-ce que j'aurais pu leur dire ? Marc était un bon petit garçon qui n'avait aucun problème psychiatrique. Il était un élève surdoué qui réussissait à obtenir des notes de cent pour cent à ses examens de mathématiques au collège. Je me serais mise à pleurer et certains chroniqueurs auraient fait des commentaires méprisants sur moi. D'autres m'auraient photographiée et mon visage émacié aurait été présenté en première page, dans tous les journaux, accompagné du titre : « C'est elle, la mère du monstre. »

Je n'ai pas lu les quotidiens pendant plus de dix ans, craignant de tomber un jour ou l'autre sur un article relatant la tuerie. C'était une façon de me prémunir contre la dépression. Certains de mes amis me rapportaient des informations lues ou entendues dans les médias. Il y avait beaucoup de mensonges ou d'ignorance de la part des rédacteurs. Je ne leur en veux pas. Ils ne savaient pas. C'est pour cela que les reporters les plus friands d'histoires à sensations n'ont jamais pu vous raconter ce qu'il est advenu du corps de mon fils.

Le ciel est recouvert de nuages et le tonnerre gronde. Le vent se lève et fouette l'herbe haute du cimetière Notre-Dame-des-Neiges. Les feuilles valsent dans les arbres matures et l'ondée brise le silence en s'abattant sur le sol. J'avance avec Monique Lépine, dans un sentier désert, à la recherche de la dernière demeure de son fils. Même si elle vient se recueillir deux ou trois fois par année sur la tombe de ses enfants, elle ne parvient jamais à retenir par cœur le chemin tortueux qui conduit jusqu'au lot familial. Après avoir gravi une colline, nous arrivons enfin devant un haut monument funéraire, orné d'une croix, sur lequel sont gravés des dizaines de noms et des dates qui remontent jusqu'au début du siècle dernier.

— Voilà, c'est ici qu'il a été enterré il y a dix-huit ans, me dit-elle.

Monique Lépine reprend son souffle et retient ses émotions comme elle a appris à le faire après la disparition de son garçon. Sur la pierre tombale, le prénom de Jean-Baptiste, décédé en 1910, apparaît plus clairement que les autres. Il était

*l'arrière-arrière-grand-père de Marc. À première vue, rien ne per-
met de déceler que le tueur de l'École polytechnique repose en paix
à cet endroit. L'épitaphe «Marc Lépine 1964-1989» est inscrite
discrètement, en bas, sur le côté droit de la stèle, laissant croire
que des membres de sa famille ont voulu le cacher du regard des
passants. Ce n'est pas le cas, m'assure-t-elle. De l'autre côté, près
du socle, a été gravé dans le granit le prénom de sa sœur, Nadia,
dont la vie s'est terminée brusquement en 1996. Monique Lépine
souhaite que ce passage au cimetière dure le moins longtemps possible. Elle fuit la mort et ce qui lui ressemble depuis son enfance.
Elle fixe la pierre tombale et, nerveusement, se confie à moi.*

—J'ai affronté la peur et la mort pour la première fois
alors que j'avais quatre ans.

Tous les samedis, dans le quartier Ahuntsic à Montréal où je demeurais, les enfants allaient au cinéma. Mes
gardiennes m'amenaient avec elles à la salle paroissiale.
Le prix d'entrée était de dix sous par personne. J'étais
haute comme trois pommes et facilement impressionnable lorsque j'ai vu deux films qui m'ont occasionné des
frayeurs toute ma vie. Durant la première projection, j'ai
vu une main qui apparaissait derrière un rideau sombre
pour égorger des femmes. J'ai toujours craint de mourir
de cette façon et, depuis ce temps, je dors avec un drap
ou une petite couverture autour du cou pour me protéger. Le deuxième scénario impliquait deux petits enfants
apeurés, perdus pendant la nuit dans un cimetière. Les
macchabées les poursuivaient. Voilà pourquoi j'ai toujours évité les lieux où les morts sont enterrés.

Je me souviens aussi que, lorsque j'ai eu neuf ans, la
sœur de maman est décédée. Je suis allée la voir. Son corps
était exposé chez elle. Elle avait la peau cireuse, les mains
jointes et entourées d'un chapelet, dans un cercueil de bois
luisant, encerclé de bouquets de fleurs qui dégageaient

une odeur de parfum trop fort. Derrière la dépouille mortelle, un épais rideau de velours bleu marine me rappelait un des films d'épouvante que j'avais vus quelques années plus tôt. Mais ma plus terrible expérience avec la mort, je l'ai vécue quand j'ai dû enterrer Marc. Le jour des funérailles, je ne me suis même pas rendue au cimetière.

La nuit de la tragédie de l'École polytechnique, le corps de mon fils a été transporté à la morgue de Montréal, rue Parthenais, afin de subir une autopsie. Jusqu'à tout récemment, je n'avais jamais osé lire le rapport du bureau du coroner, daté du 10 mai 1990, rempli de détails morbides mais, semble-t-il, essentiels à la médecine judiciaire. Lors de son décès, il portait des jeans bleus et ses bottes Kodiak, dont il se séparait uniquement pour dormir. Avant de le déplacer de la scène de crimes, les enquêteurs ont pris soin de retirer de la poche intérieure de son veston trois lettres, dont deux étaient adressées à des amis. Le médecin légiste note que son taux d'alcoolémie était négatif. Il n'y avait aucune présence de drogue dans son sang. Il cite par la suite un psychiatre, consulté au cours de l'enquête policière, dont le mandat était de dresser le profil psychologique et psychiatrique de Marc et qui est convaincu qu'il avait un trouble majeur de la personnalité. Ce psychiatre est aussi d'avis que mon fils avait une grande vulnérabilité narcissique et était très exigeant envers lui-même. À cela s'ajoutait un grand besoin de reconnaissance de la part des autres ainsi qu'une sensibilité extrême aux échecs et aux rejets. Son imaginaire violent tentait de réparer un sentiment fondamental d'impuissance et d'incompétence.

Mais peu importe ce que mon fils avait été, nous devions l'enterrer. J'essaie de me rappeler avec exactitude quand je me suis rendue, accompagnée de mon pasteur, dans une maison funéraire de la rue Rouen, dans l'est de la ville, mais j'en suis incapable. C'était vers le 10 décembre. Comme je voulais que Marc soit incinéré, le directeur des funérailles m'a conseillé de me rendre au crématorium de Boucherville. J'ai exigé la plus grande confidentialité.

Vêtue de noir, par respect pour la mort, je me suis dirigée vers le funérarium du boulevard Marie-Victorin. Là, j'ai choisi tout ce qu'il y avait de plus simple et de moins cher. Dans la salle de montre, où on magasine un cercueil comme si on achetait une automobile, je ne pouvais pas me laisser attendrir par les dernières nouveautés trop commerciales à mon goût. Je n'avais presque pas d'argent. J'ai même dit au directeur du service des pompes funèbres de ne pas habiller le corps de Marc avant de le réduire en cendres car je n'avais pas ses vêtements. Je ne sais pas où j'ai puisé toute la force pour régler les arrangements funéraires. En quittant cet endroit sinistre, mon esprit était accaparé par une seule pensée. Quand on est une mère aimante, on envisage le chemin de la vie d'une manière très différente. Je croyais que j'allais disparaître de la surface terrestre bien avant mon fils.

Mon devoir était ensuite d'aviser la famille et les amis qu'une cérémonie aurait lieu le 13 décembre, dans une salle du crématorium. Malheureusement, mis à part ma fille, Nadia, son copain Jacques et quelques membres de mon Église, personne d'autre n'est venu. Ils craignaient d'être poursuivis par les journalistes que la police tenait à l'écart. Des enquêteurs en civil patrouillaient aux abords du cimetière pour empêcher que quelqu'un nous importune ou se venge en nous attaquant.

Tout s'est déroulé d'une façon précipitée, avant même que le corps de Marc soit délivré par la morgue. Après avoir brièvement prononcé des paroles de réconfort, autour d'un cercueil vide, le pasteur nous a invités à entonner deux chants religieux. Nous sommes repartis rapidement, sans la dépouille mortelle. Même si Marc se disait athée, je tenais à ce qu'il ait une cérémonie funèbre. Il n'était pas croyant, parce qu'à ma sortie du couvent, à l'âge de vingt-trois ans, j'avais rejeté pendant de nombreuses années Dieu et la religion. C'est la raison pour laquelle, à l'école, mes enfants n'avaient jamais eu d'enseignement religieux. Ils étaient inscrits à des cours de morale. Malgré le passé de Marc, j'ai demandé qu'on l'enterre, quelques jours plus tard, dans le lot familial du cimetière Notre-Dame-des-Neiges. Je n'étais pas là pour sa mise en terre. Je ne le regrette pas. C'est ainsi que j'avais choisi de dire adieu à celui que j'avais enfanté un quart de siècle plus tôt et qui m'avait déshonorée en devenant un véritable boucher.

En 1989, je suis restée trois semaines à broyer du noir dans la famille du pasteur. Je passais mon temps à pleurer et à prier. Il me semblait que les larmes avaient creusé des sillons dans la peau brûlante de mon visage. Personne ne pouvait me consoler. Lorsque je réussissais à m'endormir, épuisée, je faisais continuellement le même cauchemar. Mon fils me poignardait parce qu'il avait découvert que j'étais la source de ses malheurs.

La seule façon de m'évader était de me rendre à l'église deux fois par semaine. Tout le monde savait qui j'étais, mais personne n'osait encore me parler de ce qui s'était passé. C'était tabou. Le ministre du culte me protégeait et avait demandé aux membres de la congrégation d'implorer le Seigneur pour moi, sans m'embêter. Je fermais les yeux et j'imaginais la douleur de Marie lors de la mort de son fils Jésus. Je lui demandais d'apaiser la souffrance de toutes les mères qui avaient perdu leur enfant dans le drame de l'École polytechnique.

À ma grande surprise, je recevais un volumineux courrier qui me parvenait de partout: postes de police, salon funéraire, églises, et même de chez moi, où des amis prenaient soin de recueillir les mots d'encouragement et les lettres que des inconnus m'adressaient des quatre coins du Québec. Ils cherchaient tous à partager ma souffrance. Certains m'offraient de séjourner gratuitement dans leur chalet ou encore dans leur résidence secondaire, quelque part dans le Sud. En quelques jours, plus de quatre cents personnes m'ont écrit pour me raconter comment ils avaient vécu la soirée du 6 décembre. Le témoignage émouvant d'une mère de famille m'a particulièrement touchée. Sur une grande page blanche, elle avait crayonné quelques phrases et apposé sa signature à l'encre bleue. Elle portait le même nom que moi et m'expliquait que son cœur avait presque cessé de battre lorsque le nom du tueur avait été rendu public. Son garçon s'appelait Marc Lépine. Elle a cru que c'était lui l'assassin, jusqu'à ce qu'elle réussisse à se convaincre du contraire après l'avoir rejoint et serré maternellement dans ses bras.

Avec ma fille, Nadia, j'ai pris soin d'acheter des cartes funéraires pour les envoyer à toutes ces personnes qui tentaient de me rejoindre. Je leur ai fait parvenir le même message très simple inspiré du psaume 32, que je trouvais très beau.

Heureux celui que Dieu décharge de sa faute,
Et qui est pardonné du mal qu'il a commis!
Heureux l'homme que le Seigneur ne traite pas
en coupable,
Et qui est exempt de toute mauvaise foi!
Mais je t'ai avoué ma faute,
Je ne t'ai pas caché mes torts,
Je me suis dit: je suis rebelle au Seigneur,

Je dois le reconnaître devant lui.
Et toi, tu m'as déchargé de ma faute.
Par votre support moral,
Dans notre très grande affliction,
Suite au décès de Marc Lépine,
Vous avez su nous donner la force,
D'accepter cette grande épreuve avec plus de courage.
Merci.
Dans ce temps d'épreuve, le Seigneur,
Fidèle à ses promesses, est mon soutien,
Et mon consolateur, et je sais qu'il
Me gardera tous les jours de ma vie.

Monique Lépine et Nadia Gharbi

Si vous êtes de ceux et celles qui avez pris le temps de m'écrire, je veux que vous sachiez aujourd'hui que vous avez contribué à mon rétablissement. Sans votre compassion, j'aurais probablement décidé d'en finir une fois pour toutes. Je savais que désormais je n'étais plus seule.

Le matin des funérailles de plusieurs victimes de l'École polytechnique, à la cathédrale Notre-Dame, j'aurais voulu me fondre dans la foule pour serrer dans mes bras chaque membre des familles endeuillées. Mais la mère d'un tueur ne peut pas faire cela, surtout lorsqu'elle porte une partie de la responsabilité et des blâmes publics. Ma culpabilité ne cessait de croître. Je me posais de nombreuses questions sur la façon dont j'avais éduqué, aimé et encouragé mon fils. Je ne voyais que mes erreurs. Étourdie, je m'étais étendue sur le divan, le dos bien droit, le corps rigide comme un cadavre. J'avais fermé les paupières, les mains jointes sur le ventre en m'imaginant dans un cercueil de bois verni, prête à basculer dans l'autre monde. Je restai immobile pendant plusieurs minutes, retenant ma respiration pour mieux simuler ma mort, jusqu'à ce que le pasteur me demande de monter au rez-de-chaussée. Quelqu'un de très important voulait absolument me parler au téléphone. Il s'agissait du ministre de la Justice du Québec, M. Gil Rémillard. Il avait une voix douce et rassurante. Posément, il me dit de ne pas prendre toute la responsabilité de cette tragédie sur mes épaules. Il me considérait, moi aussi, comme une importante victime et fut le seul à me rassurer à ce moment-là.

« Madame, surtout ne vous culpabilisez pas ! »

Son appel, à un moment aussi déchirant, m'a beaucoup aidé à reprendre confiance en moi. Gil Rémillard n'a jamais parlé publiquement de cette conversation téléphonique et c'est avec son autorisation que je l'évoque aujourd'hui. En 1989, je l'ai laissé en pleurant et en lui disant :

— S'il vous plaît, monsieur le ministre, dites aux familles des victimes que je leur demande pardon au nom de mon fils !

Dans les jours qui suivirent, le cardinal Paul Grégoire, archevêque du diocèse de Montréal, a demandé à me rencontrer à son bureau. Il m'a accueillie de façon très protocolaire. Distant et mal à l'aise, il m'a invitée à m'asseoir devant lui sans me faire embrasser sa bague cardinalice, comme certains catholiques très pratiquants le font par tradition. Il était bien renseigné et savait que je fréquentais un groupe évangélique qui ne professe pas la même doctrine que son Église. Je compris rapidement qu'il se sentait obligé de me rencontrer parce que de nombreux chrétiens écrivaient à l'archevêché pour lui demander de m'aider. Notre tête-à-tête fut bref et il ne parla pas de Marc, ni de ma peine. À quelques mois de la retraite, ses œuvres et ses réalisations l'inspiraient, donnant à ses confidences sur la vie l'allure d'un sermon. Quand il me reconduisit vers la sortie, il était souriant. Il me remit un chèque de trois mille dollars, au nom des paroissiens, afin de m'aider à passer à travers cette période très difficile. Son devoir pastoral était rempli et très apprécié.

Malgré tous ces témoignages d'amour et de compassion, je devais absolument vaincre en solitaire les démons qui me pourchassaient. Pour décompresser, je me permettais quelquefois une sortie nocturne dans le quartier où je demeurais temporairement. J'avais recommencé à fumer, depuis mon interrogatoire à l'escouade criminelle de la police, et il était plus respectueux de le faire à l'extérieur de la maison du pasteur. Chaque nuage de fumée que j'exhalais dans l'obscurité de ce mois de décembre me faisait penser à un fantôme en formation, qui surgissait de nulle part. Le spectre de Marc m'accompagnait à chaque coin de rue. J'avais l'impression, très souvent, de voir son ombre. Une fois, j'ai suivi un jeune homme qui lui ressemblait. Il mesurait 1,80 m, avait des cheveux en broussaille et la même démarche désinvolte que mon fils. Je le talonnai pendant quelques minutes et il se retourna vers moi au feu de circulation. Il me dévisagea. Je rougis de honte, comme un enfant pris sur le fait quand il fait un mauvais coup. Il détourna son regard et traversa la rue en courant, disparaissant entre les bancs de neige.

Dans mon esprit, Marc Lépine, le tueur de l'École polytechnique, existait toujours. Il me poursuivait dans les méandres de mon âme. Il ne ressemblait plus à l'être que j'avais mis au monde et n'en finissait pas de me persécuter dans mes hallucinations. J'étais persuadée que la seule façon pour moi de survivre était de le faire fuir de mes pensées, d'effacer son nom en faisant disparaître presque tout ce qui restait de son passage sur la terre.

Les arbres solidement enracinés de chaque côté de la rue étroite se rejoignent en hauteur pour former des arabesques. On entend le tintamarre des automobiles près du pont Jacques-Cartier. Le vieux quartier n'a quasiment pas changé depuis le temps où des ouvriers, trimant dur dans les usines de l'est de Montréal, élevaient leur marmaille dans ces édifices à logements de quelques étages, serrés les uns contre les autres. L'hiver, après l'école, les enfants devaient jouer au hockey dans la ruelle arrière, arborant fièrement des chandails de laine du Canadien. Leurs mères, reines du foyer, sortaient à tour de rôle sur le balcon et leur criaient de venir souper parce qu'il se faisait tard.

Nous sommes en décembre 1989, dans le quartier Centre-Sud à Montréal, au 2175 rue de Bordeaux, devant l'appartement vieillot qu'a habité Marc jusqu'à son décès.

La dernière fois que j'y avais mis les pieds, c'était en 1987, lorsque Marc y avait emménagé avec un de ses meilleurs amis, Érik Cossette. Ils s'étaient rencontrés plusieurs années auparavant à la polyvalente de Pierrefonds. Ils étaient semblables, timides et rêveurs.

Je les avais alors aidés à peinturer et à meubler le petit appartement situé au deuxième étage. Érik avait transformé le salon en chambre à coucher alors que Marc avait droit à son intimité dans une petite pièce à l'arrière qui donnait directement sur le balcon et la ruelle. Il dormait sur un divan-lit de couleur beige que je lui avais donné. Chaque matin, il le refermait pour obtenir le maximum de place. Deux des murs de sa chambre étaient remplis de livres placés de façon ordonnée, dans deux grandes bibliothèques. Il aimait beaucoup les livres et en était devenu maniaque. Il s'endormait souvent en lisant le dictionnaire, comme s'il avait dû tout savoir, pour être quelqu'un de parfait. Près de la fenêtre, sur un petit bureau, il avait installé son inséparable ordinateur Amiga 2000, un des plus perfectionnés à ce moment-là, pour les adeptes de jeux vidéo.

Son compte en banque n'était pas garni, alors je m'étais empressée de lui procurer un réfrigérateur acheté dans un magasin d'articles usagés. Il recevait des prestations de l'assurance-emploi et tentait de terminer deux cours au collège pour être admis à l'université. Il n'était pas dépensier et devait se priver pour payer son loyer. Je lui avais remis un double de la clé de mon appartement en lui disant de venir faire son tour régulièrement. Il m'arrivait de lui préparer des petits plats qu'il dévorait à satiété. En échange, il m'avait remis la clé de sa demeure, ajoutant que je serais toujours la bienvenue. J'y allais rarement, à moins d'être invitée, ce qui ne s'est pas produit souvent.

Je conservais cette clé dans mon porte-monnaie. C'est ce qui m'a permis d'entrer chez lui la fin de semaine après sa mort. Il était devenu primordial pour moi de vider son appartement et de faire disparaître à tout jamais ce qui pouvait rappeler son nom. Les policiers avaient enlevé les scellés sur les portes. J'avais tout de même l'impression de m'introduire telle une voleuse dans ce logement mal aéré. J'ai ouvert complètement les fenêtres pour enlever l'odeur de renfermé et, en compagnie de deux copains qui m'accompagnaient, je me suis mise à la tâche. En quelques heures, nous avons rempli trois grands sacs verts contenant des babioles, des magazines et des livres sur la Seconde Guerre mondiale, dont il était friand. Il y avait aussi des films d'action et d'épouvante enregistrés sur des cassettes vidéo ainsi que de vieux vêtements. En entrant dans sa chambre, j'ai fracassé volontairement la réplique d'un crâne humain qui trônait sur son bureau. Je trouvais cela macabre. Nous avons déposé beaucoup de rebuts dans la rue pour qu'ils soient jetés au dépotoir. Je savais que les détectives étaient passés avant nous. Je me demandais s'ils avaient trouvé des indices permettant d'établir que Marc préparait son crime depuis longtemps. Je ne suis pas un fin limier, mais je vous assure que, moi, je n'ai rien découvert.

Avant de quitter l'immeuble, j'ai téléphoné à la mère d'Érik Cossette pour lui dire de venir récupérer les effets personnels de son fils. Il était alors en voyage dans le Sud. Durant son absence, Marc avait trouvé un autre colocataire. Lui aussi est passé pour reprendre ses affaires. Bien qu'il n'ait jamais rien eu à voir avec le drame, il est demeuré profondément affecté par ce qui s'est passé et n'a jamais voulu en parler.

Nous sommes repartis, emportant avec nous, dans un camion loué, tout ce qui était encore utilisable, c'està-dire quelques boîtes remplies de revues sur les ordinateurs et les meubles que je lui avais achetés. Nous les avons transportés chez un membre de mon Église, dans le quartier Pointe-aux-Trembles. Il m'a remis cinq cents dollars en s'estimant chanceux de pouvoir garnir à bon prix une partie de son sous-sol. Informée de ce qui s'était passé, par quelqu'un qui m'en voulait probablement, la curatelle publique n'a pas tardé, quelques mois plus tard, à me réclamer cette somme d'argent, étant donné que j'avais refusé l'héritage de mon fils.

Un fonctionnaire a débarqué chez moi pour vérifier si je ne cachais pas des biens qui, légalement, ne m'appartenaient pas. Je n'ai pas pu lui mentir. Je lui ai montré une petite horloge suisse que mon fils m'avait offerte lors d'un voyage en Europe. Le bureaucrate a fermé les yeux en marmonnant que je pouvais la garder. Elle a cessé de fonctionner dernièrement et je l'ai jetée à la poubelle. De toute manière, les plus beaux souvenirs ne sont pas matériels. Il faut savoir se séparer des choses qui n'ont pas véritablement d'importance et qui nous rappellent constamment des moments difficiles.

Je n'étais pas la seule à m'intéresser aux effets personnels de mon fils. Mis à part les policiers, j'ai appris que deux autres personnes se sont introduites avant moi dans l'appartement de la rue de Bordeaux, quelques jours après le drame.

Ces hommes, que je connaissais pour les avoir rencontrés à quelques reprises lorsqu'ils se sont liés d'amitié avec Marc, ont accepté de me raconter ce qu'ils savaient sur mon fils à la condition que leur identité soit préservée.

Ils ont fait la connaissance de Marc à l'époque où il travaillait à temps partiel comme préposé à la cuisine à l'hôpital Saint-Jude de Laval. Mon fils servait les repas dans les étages et s'occupait de l'entretien ménager. Je lui avais déniché cet emploi en 1983, pendant ses études collégiales, alors que j'occupais le poste de directrice des soins infirmiers dans ce centre pour personnes âgées.

Selon eux, Marc avait beau avoir vingt ans, il conservait toujours le comportement d'un adolescent en quête d'une identité. Il était perçu par ceux et celles qui le côtoyaient comme un être original, parfois trop bruyant, qui adorait s'esclaffer et se faire remarquer en public. Certains l'appelaient le fatiguant ou le « flyé », tellement il détonnait de ses compagnons. D'autres l'avaient baptisé James Bond, à cause de son intelligence supérieure à la moyenne et de son goût exagéré pour les énigmes indéchiffrables qu'il soumettait régulièrement à ceux qu'il croisait.

Même si Marc était timide avec les femmes, ils m'ont raconté que mon fils insistait pour prendre ses pauses et ses repas avec ses consœurs de travail. Tout le monde savait qu'il avait le béguin pour l'une d'entre elles, mais il n'a jamais osé le lui dire. Sa façon d'aborder les femmes n'avait absolument rien de romantique. Il se cachait derrière une façade impénétrable en leur parlant uniquement de ses connaissances en informatique. Cela l'empêchait vraisemblablement de laisser paraître ses émotions amoureuses, ce qu'il ne faisait jamais.

Selon eux, Marc a connu un revers qui l'aurait profondément affecté en 1984. Je venais de quitter mon poste de directrice à l'hôpital Saint-Jude, pour occuper un autre emploi, lorsqu'il a été congédié. Mon fils ne respectait pas l'autorité et tenait tête à ses supérieurs. La direction de l'établissement lui a reproché de manipuler brusquement les chariots et de renverser intentionnellement la soupe qu'il devait servir dans les chambres. Personne ne l'a défendu et il a claqué la porte avec rage.

Ils se sont croisés à quelques reprises par la suite, et un de ces hommes a rencontré Marc pour la dernière fois à son appartement de la rue de Bordeaux environ deux semaines avant la tuerie.

— Il n'était plus comme avant. Il était amaigri avec les yeux cernés, la barbe longue et les cheveux sales.

Il m'a raconté qu'il s'était assis près de lui, dans sa chambre toujours bien rangée, et avait été étonné de voir sur son téléviseur un film évoquant la Deuxième Guerre mondiale. La vidéo en noir et blanc montrait comment des kamikazes japonais promettaient de mourir pour leur patrie. Ils dirigeaient ensuite leur avion directement sur les destroyers américains pour les faire exploser.

— Je lui ai demandé pourquoi il regardait ce film et il m'a répondu en me fixant droit dans les yeux : « C'est quelque chose, n'est-ce pas ? Ces gars-là ont du courage. »

Ce sont les derniers mots de Marc dont il se souvienne. Cette journée-là, il est reparti chez lui, songeur. Il s'est alors rappelé que mon fils lui avait déjà dit être un fervent admirateur d'Adolf Hitler. Quelques jours plus tard, le 7 décembre 1989, il a été stupéfait d'apprendre que Marc était l'auteur de quatorze meurtres crapuleux. Ce qui l'a aussi secoué, c'est de recevoir la même journée par la poste une lettre écrite par mon fils dans laquelle il spécifiait qu'il lui léguait certains de ses effets personnels. Tremblant de peur, il a rapidement contacté les policiers. Les enquêteurs l'ont aussitôt interrogé. Ils semblaient très soucieux. Une question primordiale les tracassait. Marc Lépine était-il seul dans le coup de l'École polytechnique ?

Dans la lettre adressée par Marc, rien ne permettait de répondre à cette question. Il n'y avait qu'une énigme. Mon fils affirmait que l'explication de la tuerie se trouvait cachée dans son appartement. Son ami devait s'y rendre et suivre les indications qu'il découvrirait les unes après les autres. Même s'il avait la trouille, il s'est rendu le 8 décembre 1989 à l'appartement de Marc en compagnie d'un copain. Il se rappelle que des journalistes et des photographes montaient la garde dans trois véhicules de presse garés devant la porte d'entrée. Les deux comparses se sont mis des cagoules pour ne pas être reconnus et ont foncé vers le logement inhabité. Ils ont facilement réussi à pénétrer à l'intérieur, avec une clé que Marc leur avait donnée avant de mourir. Témoins de cette incursion, les reporters excités ont tenté désespérément de leur parler et ont manifesté leur frustration en frappant sans relâche dans les fenêtres et la porte d'entrée. Les deux hommes sont restés approximativement une heure sur place.

— Nous avions la chair de poule. Je me suis assis sur le divan en me demandant sans cesse ce que Marc voulait nous dire dans sa lettre. En balayant sa chambre du regard pendant plusieurs minutes à la recherche d'indices, j'ai finalement aperçu un petit morceau de papier blanc qui dépassait d'une fente du plancher de bois franc, au centre de la pièce. Marc y avait griffonné quelques mots intrigants : « L'auteur est la solution. Si vous avez trouvé cette lettre c'est que vous êtes déjà au courant... » Il nous invitait à fouiller dans une des bibliothèques de l'appartement pour découvrir un livre et l'auteur auquel il faisait référence. C'était l'histoire du pilote d'essai américain Chuck Yeager, le premier homme à avoir volé plus vite que le son, à bord d'un avion baptisé X-1, le 14 octobre 1947.

Entre deux pages de ce bouquin, Marc avait glissé une autre note : « Si vous avez trouvé ceci, vous êtes sur la bonne piste. Vous découvrirez mes dernières volontés et, au fond de ma chambre, une malle remplie d'objets à distribuer. »

— Cette véritable course au trésor, à laquelle nous conviait Marc, ne nous plaisait pas du tout. Rien de tout cela n'avait de sens et ne nous permettait pas de comprendre pourquoi il avait abattu quatorze femmes avant de retourner l'arme contre lui. Dans la malle en question, il n'y avait que des jeux et des appareils électroniques. Il nous les léguait. Nous sommes ressortis à la course par l'arrière de l'appartement, pour fuir les journalistes. Un profond sentiment de confusion nous habitait.

Cette incompréhension n'a jamais disparu. Encore aujourd'hui, ces hommes qui ont bien connu mon fils sont perturbés lorsqu'ils entendent le nom de Marc Lépine. Ils se posent mille et une questions et vont en pâtir pour le reste de leurs jours.

Souffrir est ce qui me fait le plus peur car j'ai souffert pendant une trop grande partie de ma vie. J'essaie continuellement d'effacer ce verbe de mon esprit, mais je ne peux que l'emprisonner au fond de ma mémoire pour éviter qu'il m'emporte.

Dans ma vie, j'ai connu des peines d'amour qui m'enlevaient l'appétit et me faisaient croire que la Terre cessait momentanément de tourner. J'ai affronté les angoisses de ne pas pouvoir boucler les fins de mois et nourrir mes enfants. J'ai aussi eu peur de mourir en accouchant. Mais ce n'est rien en regard des troubles occasionnés par la pensée d'être la mère d'un criminel. Cela est gravé si profondément dans mon cœur que rien ne pourra jamais l'effacer.

Moins d'un mois après la tuerie de l'École polytechnique, je suis partie en Suisse avec ma fille, Nadia. C'était la seule façon de nous libérer de l'emprise médiatique et des remords qui nous habitaient sans cesse. Des amis rencontrés quelques années plus tôt, et avec qui j'avais fait un voyage au Pérou en janvier 1989, nous ont invitées à séjourner chez eux à Chavannes-de-Bogis, un petit village situé près de Lausanne. Des membres d'un organisme chrétien se sont cotisés et nous ont fait don de plusieurs centaines de dollars pour que nous puissions nous enfuir très loin du Québec. Ma fille et moi avons pris l'avion à Dorval, à la fin du mois de décembre, escortées par des proches qui formaient une véritable muraille humaine autour de nous, car ils craignaient que des reporters nous suivent jusqu'au terminal de l'aéroport.

Nous les avons embrassés et salués de la main avant de passer le contrôle et de marcher jusqu'à la porte d'embarquement, excitées comme des gamines. Pour la première fois depuis la fusillade, je palpais la liberté. Pendant le vol de nuit, je n'ai pas pu fermer l'œil. Mon cerveau, bombardé d'émotions, ne pouvait se reposer. Je repensais à tout ce qui s'était produit durant les derniers jours. Lorsque je regardais par le hublot, je voyais des nuages, le firmament cousu d'étoiles, et je me demandais dans quelle dimension étaient parvenues les victimes de l'École polytechnique et où était mon fils.

En mettant les pieds sur le vieux continent, nous sommes arrivées dans un autre monde où tout était propice à oublier ce qui venait de se passer, même si cela était pratiquement impossible. Mes hôtes étaient les spectateurs de ma souffrance. Ils lisaient en moi comme dans un grand livre ouvert, mais ils respectaient mes silences. Jamais ils ne m'ont obligée à aborder certains chapitres de la tragédie. Parler quand j'en avais envie et respirer l'air pur de la campagne me faisait beaucoup de bien. Pendant que ma fille partageait les loisirs des trois enfants du couple, je faisais de longues marches en montagne, émerveillée par les cimes enneigées et la clarté du ciel. Je me rappelle que nous sommes allées voir une course de montgolfières. De temps en temps, je me sentais plus faible et mon regard devenait fixe, perdu entre la terre et l'espace céleste, le cauchemar et la réalité. J'avais des pensées suicidaires. En regardant les aérostats, j'imaginais ce que cela devait être de vivre une ascension éternelle et de survoler la planète sans y revenir. Vus d'en haut, dans une autre dimension, les problèmes ne peuvent probablement plus nous faire mal. Je tentais désespérément de me laisser emporter par l'air du temps, mais j'avançais difficilement jour après jour. L'épreuve se poursuivait, et malgré les petites joies de notre périple, j'étais envahie par des pensées de mort. Cela revenait sans cesse à mon esprit. Je ne le disais pas mais, dans ma douleur, je craignais de perdre contact avec la réalité et de me laisser mourir.

Lorsque nous sommes revenues à Montréal, à la fin du mois de janvier 1990, Nadia est retournée vivre avec son amoureux, Jacques Truchon. J'ai pour ma part décidé d'habiter à nouveau mon logement en copropriété de la rue Malo, que les policiers m'avaient conseillé d'abandonner temporairement, si je voulais éviter d'être assaillie par la presse. Même si le voyage m'avait fait du bien, le retour dans la métropole me ramenait en arrière, avec son lot de stress, de remords et de honte. J'étais dépressive et je cherchais un sens à mon existence. Je devais bientôt retourner au travail et affronter les regards de ceux et celles qui me connaissaient et qui savaient que j'avais enfanté un être que les médias qualifiaient de fou.

En entrant dans mon appartement, j'ai senti un immense vide et un froid à glacer le sang. J'ai eu l'effrayante impression d'être aspirée dans un tourbillon noir et sans fin, un gouffre de désespoir. J'ai pénétré dans ma chambre et j'ai rapidement allumé une lampe car j'avais très peur dans le noir. Je me suis penchée pour regarder sous mon lit, puis j'ai ouvert les portes de ma garde-robe, comme je le faisais souvent avant de me coucher quand j'étais enfant, pour me convaincre qu'aucun monstre ne s'y cachait. C'est alors que j'ai découvert deux gros sacs-poubelles noirs que je n'avais jamais vus auparavant. Je les ai déballés et j'ai trouvé à l'intérieur plusieurs effets personnels que j'avais achetés à mon fils. Le premier sac contenait de la literie, des films, ainsi que son appareil vidéo bêta. Dans l'autre, il y avait ses bulletins scolaires avec des résultats exemplaires. Il savait que je tenais à ce qu'il réussisse et soit instruit. En me léguant ses excellentes notes, il voulait probablement me signifier que l'école était l'endroit où il avait excellé et connu le moins d'échecs personnels dans sa vie. Une lettre manuscrite d'environ douze lignes était dissimulée dans ses relevés scolaires. Elle commençait ainsi : « Désolé, c'était inévitable... »

Affolée et tremblante, je l'ai lue, corrigeant machinalement ses fautes au crayon rouge, comme l'aurait fait une maîtresse d'école, mais oubliant tout ce qu'il avait écrit d'autre. J'ai aussitôt appelé les policiers, car ils m'avaient fait promettre de les contacter si je découvrais de nouveaux éléments d'enquête. Ils sont arrivés rapidement et ont saisi les sacs laissés par mon fils la veille de la tragédie. Comment avais-je fait pour ne pas les découvrir avant ? J'étais revenue à l'appartement une seule fois après le 6 décembre, parce que j'avais besoin de vêtements, mais jamais je n'avais vu ces étranges colis.

Après le départ des enquêteurs, je me suis précipitée vers la porte d'entrée et je l'ai verrouillée à double tour. J'étais convaincue que Marc n'était pas très loin. Je l'imaginais partout. Il ne pouvait pas se détacher de moi et me collait à la peau. Avait-il encore la clé de mon logis, celle que je lui avais donnée quelques années auparavant ? J'ai jeté un coup d'œil dans le placard, près de l'entrée, et j'ai été stupéfaite de constater qu'il avait pris soin d'y accrocher le double qu'il possédait, lors de sa dernière visite.

Pour la première fois depuis trois mois, je devais dormir seule dans mon condo, encore imprégné du parfum de mon fils. La nervosité me donnait mal au ventre et terriblement envie de vomir. J'avais la conviction que Marc allait revenir pour me tuer. J'ai ouvert la porte patio, qui donnait sur la rue achalandée, et au milieu des trépidations des automobiles sur la chaussée, j'ai réussi à me calmer un peu et à reprendre mon souffle dans l'air glacial de l'hiver. J'allais passer une nuit d'angoisse. J'ai téléphoné à une de mes amies, Johanne, qui fréquentait la même église que moi dans l'est de la ville, et je lui ai instamment demandé si elle pouvait me tenir compagnie. Quelques minutes plus tard, elle sonnait à ma porte, prête à partager ma détresse. Elle est restée avec moi en acceptant que la lumière de la chambre soit allumée toute la nuit, et que je pleure sur son épaule.

Il était évident que j'avais besoin de soins psychologiques, ma fille aussi. On ne peut pas traverser une telle épreuve sans consulter des guérisseurs d'âme. Comme j'étais la mère d'un tueur, je n'étais pas considérée comme une victime par le gouvernement et je devais défrayer moi-même tous les coûts des thérapies qui atteignaient parfois cent dollars la séance. Le temps passait et je prenais conscience que personne ne pouvait complètement m'aider à vivre mon deuil. Une telle tragédie est surhumaine. Alors comment un humain pouvait-il me faire comprendre ce qui s'était passé? Je me sentais tellement seule. Plus on s'éloigne des proches qu'on enterre, moins les gens autour de nous s'apitoient sur notre sort. Ils fuient prestement la mort et le monde des damnés pour rechercher le bonheur. Il faut donc s'en sortir par ses propres moyens ou périr.

Le printemps était là. L'odeur du sol détrempé par le dégel se mélangeait à celle des bourgeons apparaissant dans les arbres devant chez moi. La terre continuait à tourner pour la plupart des Québécois n'ayant pas été impliqués directement dans la tuerie de l'École polytechnique. Ils entendaient encore parler régulièrement de cet événement funeste mais c'était devenu, pour nombre d'entre eux, une nouvelle parmi tant d'autres. C'était le cas d'une employée de ma compagnie d'assurance, convaincue que les sentiments n'ont pas leur raison d'être en affaires. Elle me pressait de retourner au travail car je coûtais très cher à son entreprise. J'avais le choix : soit je reprenais mon boulot dans le domaine de la santé, soit je venais grossir les rangs des assistés sociaux. J'avais une fille qui était désormais ma seule raison de vivre. Je devais l'aider financièrement et la défendre. La première option m'apparaissait la seule possible.

J'ai donc repris mon travail à l'Association des centres hospitaliers et centres d'accueil privés conventionnés du Québec. Cela me changeait les idées mais, en même temps, je dois l'avouer, c'était extrêmement pénible. J'avais un vaste réseau de contacts et pendant au moins une année, j'ai dû répéter mon histoire à des centaines de reprises à ceux et celles que je revoyais pour la première fois depuis la tuerie. Ils avaient besoin de savoir et de sympathiser avec moi. C'était un cercle vicieux. Cela me permettait de verbaliser mes angoisses mais me ramenait continuellement au drame. Je ne réussissais pas à faire mon deuil même si les personnes étaient la plupart du temps compatissantes. Lorsque j'étais en public et que je ne connaissais pas les gens, je prononçais rarement mon nom de famille par crainte de me faire demander si j'étais la mère de Marc Lépine. Lorsque quelqu'un insistait et m'interrogeait pour savoir si j'avais un lien de parenté avec le tueur de l'École polytechnique, j'évitais de répondre et je fuyais. Je n'étais pas prête à admettre publiquement que j'étais la mère de Marc Lépine.

À une occasion, cependant, je n'ai pas pu me défiler. Je participais à un colloque sur les soins infirmiers, au château Frontenac à Québec, lorsqu'un sous-ministre de la Santé m'a invitée à danser. Il avait entendu dire que Monique Lépine, la mère du meurtrier, était présente dans la salle et tentait de savoir qui elle était.

— Il semble que la mère de Marc Lépine travaille chez vous, n'est-ce pas? m'a-t-il demandé à l'oreille.

J'ai cessé brusquement de danser et je lui ai répondu:

— Monsieur, c'est moi la mère du tueur!

Gêné, il a valsé, a fait un pas en arrière et est demeuré figé devant moi avant de filer à l'anglaise. Je l'ai revu à quelques reprises par la suite, dans des colloques. Il préférait détourner son regard plutôt que de parler à la mère d'un assassin. Inexorablement, le temps qui passait me ramenait à la tuerie. Ma fille vivait la même chose. Nous étions à tout jamais captives de nos émotions et de l'histoire de Marc.

Mon fils, Gamil Rodrigue Liess Gharbi, celui que vous connaissez sous le nom de Marc Lépine, est né le 26 octobre 1964, à l'hôpital Sainte-Justine de Montréal. J'étais seule et la peur pénétrait mes entrailles. Son père était en voyage d'affaires dans les Caraïbes et cette naissance était le dernier de ses soucis.

Je désirais profondément cet enfant que je portais. Contrairement aux trois autres embryons, conçus auparavant dans le péché, Gamil pourrait voir le jour. J'étais mariée depuis le 15 octobre 1963 et plus rien ne m'empêchait, aux yeux de la société très religieuse de l'époque, d'avoir un bébé. Au début des années soixante, tout le monde surveillait le ventre des femmes célibataires et la période de grossesse de celles qui venaient de convoler en justes noces, pour s'assurer qu'aucune relation sexuelle n'avait eu lieu avant la bénédiction du curé.

Pour ne pas devenir la honte de ma famille, je me suis fait avorter trois fois avant les noces, entre mai 1961 et octobre 1963. Mon conjoint était le seul homme que j'aie connu avant le mariage. La pilule anticonceptionnelle avait déjà été inventée, mais la loi empêchait encore sa mise en marché. Il y avait bien le condom, mais mon conjoint ne voulait pas l'utiliser. J'ai pris des risques, et à l'âge de vingt-trois ans je suis devenue enceinte pour la première fois. Les avortements étaient alors criminels et tout se faisait en catimini. J'ai obtenu l'adresse d'un médecin qui pratiquait dans la clandestinité, rue Cedar à Montréal. L'intervention chirurgicale coûtait trois cents dollars. C'était énorme. J'ai essayé d'emprunter de l'argent à mes proches mais cela n'a pas fonctionné. Mon conjoint, contrarié, a dû défrayer les coûts de l'intervention. Il était fâché et n'a pas cru bon de m'accompagner.

J'en étais à mon troisième mois de grossesse. J'ai pris un taxi d'un noir étincelant. Le chauffeur a remarqué ma tête d'enterrement en regardant dans son rétroviseur. Je venais de passer quelques années chez les religieuses et mon geste désespéré allait à l'encontre de tous les enseignements que j'avais reçus. Je suis arrivée devant une demeure cossue construite en pierre et ressemblant à toutes les autres du riche voisinage. Un médecin en sarrau blanc m'a ouvert la porte. Il était seul. Son regard de faucon me glaçait. Il m'a conduite au sous-sol en baragouinant quelques mots de français. Il n'y avait pas de salle d'examens, seulement une large table de bois, disposée au milieu d'une grande pièce froide, sur laquelle il m'a demandé de me coucher après lui avoir montré la couleur de mon argent. Le curetage s'est fait à froid. La torture a duré plus de vingt minutes. Je sentais le dilatateur glisser jusqu'au col de l'utérus. Pour atténuer mes cris de douleur, le médecin a mis sa radio à tue-tête. Étourdie, la mort dans l'âme, j'ai pris un autre taxi pour retourner à l'appartement de celui qui allait devenir mon époux, où je suis restée pendant deux jours, le temps de reprendre des forces.

Je n'ai pas assez souffert pour ne pas recommencer. Quelques mois plus tard, enceinte de nouveau, je suis revenue dans cette sombre clinique secrète. J'étais complètement sous le joug de celui qui allait m'épouser. Aucun homme ne m'avait aimée auparavant et j'étais prête à tout faire pour le garder. Je me donnais à lui sans discernement et j'ai subi trois avortements en deux ans et demi. La dernière fois, j'ai fait appel à une immigrante hongroise qui vendait des pilules abortives. La technique n'a pas fonctionné. Ma température corporelle s'est mise à grimper en flèche à cause d'une grave infection utérine, et j'ai été transportée dans une salle commune de l'hôpital Royal Victoria, car je n'avais pas les moyens de me payer une chambre privée. Les médecins ont dû m'opérer d'urgence parce que je risquais la mort. Ils ont ensuite tenté de me faire avouer que j'avais amorcé une procédure d'interruption volontaire de grossesse, mais j'ai toujours nié. J'avais honte de leur dire la vérité, car ma pensée judéo-chrétienne me donnait la conviction que j'avais commis trois meurtres consécutifs. Je ne pourrais jamais m'en repentir.

Je pensais à l'horreur de ces gestes lorsque je me suis retrouvée, quelques mois plus tard, au quatrième étage de l'hôpital Sainte-Justine, souhaitant que mon premier enfant naisse le plus vite possible. Je me demandais si j'allais avoir une fille ou un garçon. À ce moment-là, l'échographie n'était pas encore pratiquée sur une base régulière. J'étais également troublée par une remarque que m'a faite une employée du bureau de l'admission du centre hospitalier. Elle ne comprenait pas ce qui se passait: en consultant ses dossiers, elle s'est rendu compte qu'une autre Monique Gharbi avait accouché une

71

semaine plus tôt. Son conjoint portait le même nom que le mien. Drôle de coïncidence! Les Gharbi étaient très rares à Montréal. Les sentiments se bousculaient dans ma tête et allaient du dégoût à la colère, en passant par l'insécurité et la trahison. Je me doutais depuis un bon moment que mon mari me trompait, car il était un don Juan invétéré. J'en avais maintenant la certitude. J'étais effrayée à l'idée de le mettre face à ses mensonges dès son retour, car j'avais très peur de lui. J'ai tenté d'oublier tout cela rapidement pour me concentrer sur le travail qui allait durer douze heures.

J'étais loin de me douter que j'allais souffrir autant. J'avais suivi tous les cours prénatals et, comme infirmière, j'étais arrivée première de classe lors de mon stage en gynécologie. Malgré toutes ces connaissances, rien ne m'empêchait de pleurer comme une enfant à chaque contraction. J'ai demandé qu'on appelle une de mes amies infirmières, Micheline Boyer, pour qu'elle vienne me tenir la main et calmer mes angoisses. Sans elle, mon calvaire aurait été plus pénible. Après plusieurs examens, mon obstétricien a finalement découvert que mon bassin était trop étroit et que je devais subir une césarienne.

Dès que la décision fut prise, on m'a transportée à la salle d'opération, où un chirurgien a pratiqué l'intervention. Il était 20 heures lorsque Gamil est né. Il pesait 8 livres et 8 onces et était en parfaite santé. Ce n'est que le lendemain que j'ai pu voir mon fils à travers la vitre de la pouponnière. Il avait un visage rond et rosé et dormait profondément enroulé dans une petite couverture douillette. À mes yeux, c'était le plus beau bébé du monde.

Huit jours après l'accouchement, je l'ai fait circoncire puis baptiser à l'hôpital, en présence de mes parents, de ma meilleure amie infirmière qui m'avait accompagnée dans la souffrance, et de son époux, Rodrigue. Ils ont accepté d'être parrain et marraine. Gamil était le prénom qu'avait choisi mon mari si j'accouchais d'un garçon. Il me disait que cela signifiait «beau» en arabe. Sur son acte de naissance, Gamil portait aussi le prénom de Rodrigue, en hommage à celui qui l'avait présenté au baptême.

Je suis restée dix jours à l'hôpital, ce qui serait impossible de nos jours. Le médecin savait que j'étais seule à mon domicile et voulait que je me repose. Mon époux me téléphonait de temps en temps, mais brillait encore par son absence. Ça n'a pas été facile de revenir dans mon petit appartement de quatre pièces et demi de la rue Ridgewood, dans Côte-des-Neiges. La césarienne m'avait affaiblie considérablement. J'étais déprimée chaque fois que je tentais d'allaiter Gamil, car ça ne fonctionnait pas très bien. Épuisée, j'ai dû cesser après un mois et lui donner le biberon.

J'étais tout de même heureuse parce que la vie avec mon bébé était belle et douce. Quand il faisait beau, je prenais l'autobus qui me conduisait directement au lac des Castors sur le mont Royal. Bien emmitouflé et couché dans son landau, Gamil semblait apprécier l'air pur de la montagne et les reflets que dessinaient sur son visage les nuages d'automne et les feuilles colorées qui se promenaient dans le vent. J'étais surprise parce que, dès sa naissance, il faisait déjà ses nuits. À moins que, dans mon sommeil profond, je ne l'aie pas entendu. J'étais encore seule, sans aide, pendant que mon mari courait le monde et me réservait de mauvaises surprises.

Un matin, des livreurs de chez Eaton vinrent frapper à ma porte. Ils m'apportaient un petit article que j'avais commandé ainsi qu'un magnifique landau. Stupéfaite, je leur dis que je n'avais jamais commandé ce landau. Ils ont vérifié l'adresse et se sont aperçus qu'il était en fait destiné à une autre Monique Gharbi qui demeurait, en bas de la côte, à quelques rues de chez moi. Je me suis alors rappelé ce qui s'était passé quelques semaines plus tôt à l'hôpital lorsqu'une employée du bureau de l'admission, abasourdie, m'avait appris qu'une autre Monique Gharbi venait, elle aussi, d'accoucher.

Est-ce le fruit du hasard? La résidence de cette femme était sur la rue de Troie, face à un parc qui allait devenir, plusieurs années plus tard, la place du 6-Décembre, en mémoire des victimes de l'École polytechnique.

Mon époux a mis un mois avant de revenir de voyage. J'ai eu amplement le temps de fouiller dans ses rapports d'impôt. J'ai découvert qu'il déclarait déjà deux enfants à charge. Je l'ai interrogé et il a fini par avouer que cette femme, avec qui il n'était pas marié, était effectivement la mère de deux de ses enfants. Il me jurait cependant que le dernier, qui venait de naître, n'était pas de lui et que sa relation était terminée depuis un bon moment. Je ne l'ai pas cru. J'aurais pu faire une scène de ménage épouvantable, mais je me suis retenue car je craignais qu'il devienne violent.

Je me suis rendue, quelques jours plus tard, chez cette autre Monique, dans l'espoir de connaître toute la vérité, mais je n'ai pas eu le courage de frapper à sa porte. C'était peut-être mieux pour moi de ne pas tout savoir sur cette femme et ce mari frivole. Était-elle plus belle que moi? Avait-elle l'allure sexy des maîtresses dans les feuilletons? Je n'étais que le numéro deux de monsieur ou, pire encore, son vieux torchon et j'avais la sensation d'une profonde brûlure dans mon ventre, incrustée par la jalousie et la frustration. Combien de fois avait-il couché avec elle alors que je le croyais au travail? Comment a-t-il pu faire pour mener cette double vie sans avoir de remords? Il n'a jamais répondu. Même si je le détestais un peu plus chaque jour, j'étais malgré tout soumise à cet homme et encore prête à lui pardonner pour sauver notre mariage. À cette époque, j'étais très naïve. Je n'aurais jamais dû lui céder et avoir des enfants avec lui.

J'ai rencontré mon seul et unique mari en 1961. La vie s'offrait à moi dans toute sa magnificence. Je venais de recevoir mon diplôme d'infirmière et décroché mon premier emploi à la salle d'opération de l'hôpital des Vétérans de Montréal, près de l'Oratoire Saint-Joseph. Moyennant vingt dollars par mois, je pouvais résider, comme de nombreux autres employés, dans les anciennes baraques de l'armée installées derrière le centre hospitalier. Je venais à peine de sortir du couvent, où j'avais suivi pendant trois ans mon cours tout en étant une religieuse semi-cloîtrée à l'Hôtel-Dieu. Je ne connaissais rien de la vie et encore moins des hommes. J'avais été pensionnaire depuis l'âge de douze ans. Les garçons et les filles étaient complètement séparés. Je n'avais jamais eu de petit ami. Les Québécois ne m'attiraient guère parce qu'ils parlaient trop souvent de leur voiture ou encore de hockey, deux choses qui me laissaient complètement indifférente.

Un soir, une de mes collègues de travail m'a invitée à sortir dans les bars. Elle avait rencontré deux charmants jeunes hommes quelques jours plus tôt et voulait faire la fête. Elle s'intéressait plus particulièrement à l'un d'eux qui était un fin causeur et parlait quatre langues. Il était électricien d'avions et travaillait pour Canadair. D'origine algérienne, il était bien vêtu, avec une assurance peu commune et un vocabulaire envoûtant et romantique qui charmait les femmes. Le malheur a voulu qu'il s'intéresse à moi plutôt qu'à ma copine. Au départ, j'étais flattée. Aucun homme ne m'avait jamais autant fascinée. Notre relation s'est amorcée péniblement. Il voulait coucher avec moi, mais j'ai refusé et résisté pendant trois mois jusqu'à ce qu'il menace de me quitter si je n'acceptais pas. J'avais été catholique et croyante depuis toujours et voilà que je me retrouvais dans les bras d'un musulman non pratiquant. Il était très envahissant et me téléphonait plusieurs fois par jour. Mon nouveau conjoint était très autoritaire et réussissait toujours à imposer ses idées. Je ne savais pas comment fixer des limites et me faire respecter. Il était souvent colérique et j'acceptais d'être asservie, car je croyais que c'était ça, l'amour. Nos sorties consistaient la plupart du temps à aller au cinéma, à danser dans les boîtes de nuit et à nous payer de bons repas. Nous marchions très souvent pour nous rendre d'un endroit à un autre, car il ne savait pas conduire et ne voulait pas apprendre. Les soirées se terminaient presque toujours en faisant l'amour. Même si rien ne fonctionnait entre nous, sur un coup de tête, et par crainte de rester vieille fille à tout jamais et de coiffer sainte Catherine, j'ai accepté de l'épouser le 15 octobre 1963.

La courte cérémonie, très sobre, s'est déroulée à l'hôtel de ville de Plattsburgh, dans l'État de New York, parce que les mariages civils n'existaient pas encore au

Québec. C'était plus facile ainsi étant donné que nous étions de deux confessions différentes. Il n'y avait aucun invité. Nous n'avons pas fait de voyage de noces et nous sommes revenus à Montréal en faisant de l'auto-stop. À partir de ce moment, tout a basculé. Il n'a plus jamais été le même. Parce que je lui appartenais, il a commencé à être violent envers moi et bientôt envers sa progéniture.

La vie de Gamil a été remplie d'instabilité et de violence dès les premières années de sa venue sur terre. En vingt-cinq ans, il a déménagé au moins quinze fois, de Montréal à Porto Rico, en passant par le Costa Rica. Il avait un an lorsque je me suis séparée de lui la première fois. Je suis partie pendant un mois en Suisse avec mon mari, qui travaillait pour une entreprise internationale de fonds mutuels dont le siège social était situé à Genève. C'est une voisine qui a pris soin de mon fils durant tout ce temps. Puis en 1966, nous avons décidé de vendre tous nos biens pour nous installer à Porto Rico. Je croyais que cela me rapprocherait de mon époux, qui devait souvent se rendre pour affaires dans les Caraïbes, mais ce ne fut pas le cas. Je le voyais de moins en moins.

C'était peut-être mieux ainsi car, à cette époque, j'avais très peur de lui. J'étais en quelque sorte sa secrétaire particulière, entièrement à son service. Si je faisais des fautes de frappe en dactylographiant un texte, il me giflait et me donnait des coups à la nuque avec ses mains épaisses tout en m'obligeant à travailler durant de longues heures. Chaque geste brutal résonnait comme une explosion dans ma tête. Tout lui était dû. Il refusait que je m'occupe de Gamil et me contraignait à le laisser pleurer continuellement. Le petit avait deux ans et demi et s'est mis à se replier dans le silence.

Un jour, mon mari m'a demandé de l'accompagner au cinéma. Je n'avais pas de gardienne, mais il a décidé qu'on ne se priverait pas d'une sortie à cause de cela. Il a verrouillé la porte de la chambre de Gamil pendant qu'il dormait et nous sommes partis. Quelle folie ! Je ne pensais qu'à mon enfant, enfermé à la maison. À mon retour, je me suis précipitée dans sa chambre, où il hurlait de peur. Il avait réussi à descendre de son lit et à jeter par terre une lampe, qui s'était brisée. J'ai caché les dégâts, car je crois que Gamil aurait eu droit à une fessée si son père s'en était rendu compte. Je ne suis pas fière de ce que j'ai fait. Aujourd'hui, ce serait sans doute un cas de la DPJ (Direction de la protection de la jeunesse) et nous serions accusés de négligence.

Je me souviens aussi de cette journée à Montréal où j'ai demandé à mon conjoint de surveiller Gamil et Nadia. Ils jouaient dans la neige, dans la cour arrière de la maison, pendant que j'allais faire des emplettes. Quand je suis revenue, mon mari était étendu sur le divan et lisait. Il avait placé les très jeunes enfants dans leurs chambres mais ne leur avait pas enlevé leur habit de neige ni leurs bottes. Par la suite, j'ai toujours refusé qu'ils demeurent seuls avec lui.

Une autre fois, alors que Nadia n'avait que quelques semaines et pleurait pour être allaitée, il l'a prise dans ses bras et l'a lancée violemment dans sa couchette. Mais la goutte qui a fait déborder le vase, c'est ce qui s'est passé un matin de 1970, lorsqu'il s'en est pris à Gamil. Le petit venait de se réveiller. Il était heureux et chantait dans sa chambre. Son père était rentré tard la veille et voulait dormir. Réveillé par le bruit, il s'est levé précipitamment et s'est approché de son fils en maugréant. Gamil a eu le temps d'esquisser un sourire avant de recevoir une claque en pleine figure, qui a laissé des traces sur son visage pendant une semaine. J'ai tenté de consoler mon garçon en le prenant dans mes bras, mais son père m'a encore une fois interdit de le faire. Il refusait toujours que je lui montre des signes d'affection, comme si un garçon n'avait pas besoin de cela. Il ne voulait pas que je le gâte. J'en avais assez au point où, pour la première fois, j'ai tenté de divorcer.

Nous habitions alors rue Prieur à Montréal et nous avions aussi loué un chalet pour une période de six mois à Sainte-Adèle, dans les Laurentides. Le tribunal a décidé que nous devions habiter chacun de son côté, dans ces deux résidences, en attendant la fin des procédures judiciaires. Mon ex-conjoint devait se tenir loin de nous mais ne l'a pas accepté. Un soir, fou de rage, il est entré dans le chalet, tandis que je recevais plusieurs invités. J'étais en train de cuisiner lorsqu'il a saisi ma casserole et en a jeté tout le contenu dans la neige. Stupéfaite, je suis sortie à l'extérieur. Il m'a empoignée et projetée contre le mur de pierres. Je ne sais pas ce qui se serait produit si un de mes convives ne s'était pas porté à mon secours, le tabassant pour le faire déguerpir.

Je me suis finalement séparée pour de bon de cet homme en juillet 1971 et j'ai obtenu la garde légale des enfants. Cela ne s'est pas déroulé sans difficultés. Peu après la rupture, des huissiers se sont présentés à la maison de la rue Prieur, où je vivais de nouveau avec Gamil et Nadia, et ont saisi la plupart de nos meubles. Ils ont laissé derrière eux une table, quelques chaises et nos lits.

Mon ex-conjoint avait contracté une deuxième hypo-
thèque mais ne la payait pas. Quelques jours plus tard, un
scellé a été apposé sur la porte. Nous nous retrouvions à
la rue, sans aucun effet personnel, et nous avons été dans
l'obligation de nous réfugier chez une voisine, jusqu'à ce
que je trouve un autre logement.

Mon ex-conjoint avait obtenu le droit de voir les enfants une fois par semaine, en présence d'un travailleur
social de l'hôpital Sainte-Justine. Le tribunal avait décidé
qu'il ne pouvait pas être seul avec eux. Une fois, pour
éviter que la situation se complique davantage, j'avais accepté de le rencontrer avec Gamil et Nadia sans que cet
intervenant soit à nos côtés. C'était à la fin de l'été de
1971. Le père de mes enfants nous avait donné rendez-
vous dans une crémerie du boulevard Henri-Bourassa,
dans le nord de la métropole.

Aller manger un cornet de crème glacée aurait dû être
un moment très réjouissant pour Gamil, qui n'avait que
six ans et demi. Ce fut tout le contraire. Nous roulions
tranquillement à bord de ma petite voiture et je m'ap-
prêtais à tourner le coin de la rue quand j'ai révélé à mon
fils que nous allions voir son père, à la crémerie. Sa réaction spontanée a été de saisir le volant de la voiture et de
donner un violent coup vers la droite, comme s'il voulait
qu'on se sauve. L'automobile s'est retrouvée sur le trot-
toir. Heureusement qu'il n'y avait pas de piétons, nous
les aurions probablement tués. J'ai réussi à le raisonner
et nous sommes allés au rendez-vous fixé par son pater-
nel. Gamil ne parlait pas et restait en retrait. Il n'avait plus
aucune affinité avec ce père autoritaire qui l'avait battu.
C'est la dernière fois qu'il l'a rencontré. À partir de ce
moment, il a banni son nom et n'a plus jamais parlé de
son géniteur à qui que ce soit. Ce fut probablement un
des pires traumatismes de son existence.

Quelques semaines après cet événement, j'ai retrouvé Gamil replié sur lui-même et caché dans la garde-robe de sa chambre.

— Qu'est-ce que tu fais là ? lui ai-je demandé.

Dissimulé derrière ses vêtements, il ne répondait pas et me regardait effrayé et frissonnant de tout son être. J'ai réussi à le faire sortir de sa cachette, de peine et de misère, et j'ai compris qu'il était affolé par un ouvrier venu faire des réparations dans l'appartement. Il avait peur qu'il le frappe comme l'avait déjà fait son père. J'ai tenté de le calmer et le raisonner. Cela a été long et très difficile. À cet âge, Gamil avait-il déjà des problèmes psychologiques qu'il ne pourrait jamais surmonter par la suite ? La psychologie pour les enfants n'était pas encore à la mode en 1971, mais la peur des hommes et la façon de réagir de mon enfant m'inquiétaient.

Je me rappelle avoir posé des questions au mari d'une de mes collègues de travail, qui était psychiatre. Selon lui, le comportement de mon fils était relié au choc subi par le divorce. Mais il était convaincu que Gamil s'en remettrait en vieillissant.

Malgré tout, j'étais certaine que cette désunion était ce qui pouvait arriver de mieux à mon garçon. Son père ne lui a jamais montré d'affection. Il avait lui-même été éduqué sévèrement par ses parents et, à l'âge adulte, avait subi la torture lors de la guerre d'Algérie. Il m'avait raconté qu'il avait reçu des chocs électriques un peu partout sur le corps. On dit souvent que la violence engendre la violence. J'y crois de plus en plus. Sinon qu'est-ce qui pourrait pousser un homme à s'en prendre à son fils, qui est sa chair et son sang ? Qu'est-ce qui peut amener un père à abandonner pour toujours ses enfants dont il est encore responsable ? Tôt ou tard, Marc et Nadia allaient en subir les conséquences, l'un après l'autre.

Au début de 1990, dans les salles de cours animées du cégep du Vieux-Montréal, un sujet de conversation revenait sans cesse: la mort de quatorze étudiantes à l'École polytechnique. Certains professeurs craignaient qu'un autre détraqué s'en prenne désormais à des jeunes femmes du collège. Ils parlaient régulièrement de Marc Lépine et le qualifiaient de fou furieux dont les parents n'avaient rien fait pour l'arrêter. Dans ce tumulte, une cégépienne n'osait jamais s'exprimer. Elle écoutait, stoïque, encaissant chaque commentaire négatif comme un coup de poignard. Personne ne le savait, mais c'est de son frère qu'ils parlaient. Nadia Gharbi attendait que la cloche sonne, annonçant la fin des classes, pour aller s'enfermer dans les toilettes du cégep et pleurer.

Nadia me racontait à quel point elle se sentait mal à l'aise d'entendre ses camarades déblatérer sur son frère. Le nom de son père, inconnu de la majorité du public, la protégeait de ceux et celles qui auraient pu la relier à Marc Lépine, mais il ne pouvait pas l'immuniser contre tous les ragots. Ma fille ne savait pas comment supporter toute cette souffrance qui la crucifiait. Combien de fois ai-je dû la consoler et lui dire qu'elle n'y était pour rien! Fuyant la médisance de ses professeurs, et craignant que quelqu'un apprenne qu'elle était la sœur du tueur, elle a décidé de quitter le collège après seulement quelques mois. Elle a alors travaillé à gauche et à droite en vivotant. Elle ne réussissait jamais à conserver les emplois que je lui trouvais.

Nadia a été préposée aux bénéficiaires à l'hôpital Saint-Georges. Elle avait de la difficulté à établir des relations cordiales avec les autres et disait toujours quoi faire aux infirmières. Elles l'ont mal pris, obligeant la direction de l'établissement à la congédier. Ses passages dans une agence de placement et chez un courtier d'immeubles ont également été brefs. À vingt-trois ans, rien ne l'intéressait à part les amants à problèmes qu'elle collectionnait. Je la voyais rarement, si ce n'est les jours où elle n'avait plus d'argent. Elle se présentait en catastrophe chez moi pour m'emprunter quelques dollars. J'éprouvais beaucoup de culpabilité pour tout ce qui lui arrivait et je ne pouvais jamais lui dire non.

J'ai finalement découvert pourquoi elle ne réussissait pas à prendre sa vie en main : Nadia m'a avoué qu'elle était cocaïnomane et héroïnomane. Je m'en doutais depuis un certain temps, mais je ne voulais pas y croire. Elle souffrait intérieurement et se piquait, ou absorbait de la poudre blanche, pour geler ses émotions. Cela lui permettait d'oublier qui elle était. Elle ne se sentait plus fautive d'avoir contribué à la mort de son frère.

Lorsqu'elle était en manque, elle pouvait venir chez moi en pleine nuit. Elle frappait sans relâche à la porte, ou encore martelait les fenêtres de ses poings, jusqu'à ce que je lui ouvre pour lui donner de quoi aller se droguer. Je ne pouvais pas supporter ses colères et sa lente déchéance. Je ne reconnaissais plus ma petite fille. Je l'ai forcée à suivre une thérapie pour qu'elle s'en sorte. Cela m'a coûté quatre mille dollars. Elle a été placée en cure fermée, dans un centre pour toxicomanes, et y est demeurée pendant quarante jours consécutifs.

Tout cela était inutile, car elle n'était pas décidée à cesser de se droguer. Lors de sa sortie, ses thérapeutes m'ont répété à plusieurs reprises de ne pas lui donner d'argent car cela lui servirait à se procurer des stupéfiants. Je les ai écoutés. Elle recevait l'aide sociale et je payais uniquement sa psychologue et ses factures de téléphone, au cas où elle aurait besoin d'appeler à l'aide. Je lui ai aussi déniché un appartement au centre-ville de Montréal. Je l'ai meublé et peinturé avec des amis en souhaitant qu'elle recommence sa vie de zéro. Tout a bien fonctionné durant six mois, jusqu'à ce que le propriétaire la jette à la rue, en l'accusant de vendre et de consommer de la drogue dans son immeuble. Nadia s'est trouvé un autre appartement avec un copain et, quelques mois plus tard, ils se sont enfuis sans payer leur loyer. Après avoir vendu la cuisinière et le réfrigérateur, qui ne leur appartenaient pas, ils se sont procurés de la poudre. Je n'ai pas eu de nouvelles de Nadia pendant plusieurs semaines, et toutes sortes d'idées sombres me sont passées par la tête. Je craignais qu'elle se fasse arrêter pour vol ou encore que les policiers la retrouvent morte d'une overdose dans un parc.

Un soir, en revenant du travail en autobus, je suis passée rue Ontario. Le soleil venait de se coucher et donnait à cette artère commerciale un air obscur. Des automobiles circulaient à la queue leu leu aux abords des trottoirs parsemés de toxicomanes, de travailleuses du sexe et de mendiants. En regardant par la vitre, j'ai aperçu Nadia. Elle se promenait sur le coin de la rue, habillée de façon aguichante, avec un jean moulant et un chandail ajusté mettant en valeur son corps. Je suis descendue de l'autobus pour lui parler. Je l'ai embrassée. Elle se sentait mal à l'aise et m'a attirée dans une ruelle. C'est à ce moment que j'ai compris ce qu'elle faisait dans les parages. Je l'ai quittée quelques secondes avant qu'une voiture ne s'arrête près d'elle. Le conducteur l'a fait monter à bord. J'avais le cœur gros : ma fille en était à se prostituer pour se droguer.

Dans mes réunions de prières, je demandais régulièrement aux membres de mon Église de penser à elle. Son comportement me rendait malade. Je dormais de moins en moins et mon appétit diminuait. Je ne savais plus quoi faire. Il m'est arrivé un soir de revenir à mon appartement et de constater que des bijoux avaient disparu de mon coffre, placé sur la commode de ma chambre. Il n'y avait pourtant aucune trace d'effraction. Nadia avait toujours le double de ma clé et je suis convaincue qu'elle m'a volée pour consommer.

Le temps n'arrangeait pas les choses. Une nuit, à la fin du printemps de 1995, je me suis réveillée en sursaut. Ma fille hurlait pour que je lui ouvre la porte de mon condo. Elle me suppliait de l'aider. Des traces de piqûres étaient visibles sur ses avant-bras. L'héroïne était devenue sa maîtresse. Son cœur battait rapidement et elle était prise de convulsions tellement elle était en manque. Je l'ai accompagnée à l'hôpital Saint-Luc pour que les médecins la tranquillisent et lui prescrivent de la méthadone. Complètement détachée du monde, elle s'est couchée sur le plancher terreux des urgences. J'ai réclamé une couverture à une infirmière peu empressée. J'étais fâchée car elle traitait ma fille comme une moins que rien. Je croyais que Nadia était finalement en sécurité lorsqu'un médecin s'est occupé d'elle et l'a stabilisée après des heures d'attente. J'ai pu rentrer chez moi, convaincue qu'il pourrait l'aider. Mais, avant que le jour se lève, elle s'est sauvée des urgences en jaquette, pieds nus, et est revenue à mon domicile. Elle m'a dit qu'elle avait fait du pouce. J'ai téléphoné au médecin du centre hospitalier pour obtenir des explications. Bon débarras ! Personne ne s'était soucié d'avoir perdu une patiente trop agitée. Nadia n'a jamais été une adolescente facile mais je n'aurais jamais cru qu'elle me causerait autant de problèmes à l'âge adulte.

J'ai toujours été plus inquiète du comportement de ma fille que de celui de mon fils. Marc m'aidait beaucoup à la maison. Il faisait le ménage, les réparations mineures, l'entretien du gazon, l'enlèvement de la neige, sans se plaindre, alors que Nadia avait toujours besoin de se faire dire quoi faire. Elle était extravagante et aimait fêter avec ses amis en consommant de la bière et des cigarettes. Elle avait quatorze ans lorsque j'ai découvert une pipe à haschisch dans sa chambre. Je croyais que cela était directement lié à sa crise d'adolescence. J'ai tenté de lui en parler mais elle m'a envoyée promener. Je pensais que ça ne servait à rien d'en faire tout un plat et que tout rentrerait dans l'ordre un jour ou l'autre. Je me suis trompée. La drogue est un véritable fléau. Il ne faut jamais sous-estimer ses méfaits. Les parents ont la lourde responsabilité de discuter ouvertement avec leur enfant et d'aller chercher de l'aide s'il le faut. C'est ce que j'aurais dû faire. J'ai malheureusement choisi de me taire et d'acheter la paix, au moment même où j'aurais pu encore lui porter secours.

Avec le recul, je m'aperçois que sa consommation de drogue a eu un effet négatif sur ses études. À la polyvalente de Pierrefonds, Nadia s'est fait mettre à la porte. Elle a été très impolie avec un professeur et a refusé de s'excuser. Ma fille s'est alors mise à vagabonder avec de petits criminels et des revendeurs de drogue dans le métro de Montréal. Combien de fois l'ai-je cherchée ou attendue en fin de soirée, dans mon véhicule garé en face de la station de métro Henri-Bourassa, priant pour qu'il ne lui soit rien arrivé de grave !

Je revenais souvent seule à la maison, exaspérée par son comportement irresponsable. Quelquefois les policiers me téléphonaient aux petites heures du matin pour que je vienne chercher Nadia, qu'ils avaient retrouvée soûle et droguée au centre-ville. Après plusieurs appels semblables, j'ai demandé aux patrouilleurs ce qui se passerait si je n'allais pas la quérir au poste de police ? Ils m'ont répondu qu'ils la remettraient entre les mains des travailleurs sociaux de la Direction de la protection de la jeunesse.

Une nuit, trop inquiète pour dormir dans mon lit, je venais de m'assoupir sur le sofa du salon, lorsque le téléphone a sonné de nouveau. À l'autre bout du fil, un policier, à la voix grave et autoritaire, m'apprenait que Nadia venait encore une fois d'être arrêtée. Elle attendait que je vienne la délivrer. Je leur ai dit de la garder et d'en faire ce qu'ils voulaient. J'étais déchirée par la décision draconienne que je venais de prendre mais je n'avais plus le choix !

C'est ainsi qu'en 1981, à l'âge de quatorze ans, Nadia a été placée dans un centre d'accueil du quartier Notre-Dame-de-Grâce, avec d'autres filles de son âge. Son frère Marc s'en réjouissait. Elle ne pouvait plus se moquer de lui et le diminuer devant les autres.

Nadia a donné du fil à retordre à ses éducatrices. Elle s'est évadée et a été retrouvée à la Ronde, après une fugue de quelques heures. Pour elle, c'était un trip ! Son caractère rebelle et sa désobéissance continuelle aux directives imposées l'ont conduite dans un autre centre jeunesse, plus sécuritaire, celui de Notre-Dame-de-Laval, où elle est restée jusqu'à l'âge de dix-huit ans. J'allais la voir tous les dimanches. Quand j'arrivais dans la grande cour de l'immense bâtiment de briques, j'avais toujours un pincement au cœur. Comment allait-elle réagir cette fois-ci? Allait-elle me tourner le dos et m'accuser de nouveau de l'avoir abandonnée?

J'avais l'impression de pénétrer dans une prison. Toutes les portes étaient verrouillées et un gardien devait vérifier mon identité avant de me conduire dans le salon de l'unité des filles. Cet ancien immeuble, peu accueillant, transformé en foyer pour jeunes délinquantes, me rappelait toutes les années que j'avais passées, quasiment cloîtrée, à l'Hôtel-Dieu de Montréal. Je savais ce que Nadia pouvait ressentir, privée de sa liberté. Le sol de granit était pareil. Les murs peints en vert, dans de longs corridors austères, étaient aussi semblables.

La visite était courte. Un mur d'incompréhension nous séparait. Nous échangions des paroles futiles sur ses études, puis je repartais, toute à l'envers, me blâmant de lui faire vivre ce châtiment. Son mal était profond. Elle ne croyait pas que mon amour envers elle était sincère et me reprochait d'avoir plus d'affection pour son frère.

Après quelques mois en centre d'accueil, les efforts déployés par les éducatrices ont commencé à porter fruit. À force de lui répéter et de lui inculquer de nouvelles valeurs, Nadia a commencé à s'assagir et à écouter. Elles lui ont alors permis de me rendre visite toutes les fins de semaine. Cela a duré jusqu'à sa majorité. Comme la plupart des enfants de la DPJ qui traînent un lourd passé, Nadia était marquée pour la vie. Je n'ai jamais pu savoir ce que contenaient les rapports du centre jeunesse, détruits depuis longtemps, mais je crois que ma fille avait des problèmes de comportement et un trouble du déficit de l'attention. Combiné à l'absorption de substances illicites comme la marijuana, le haschisch, et la cocaïne, cela faisait un véritable cocktail explosif, un mélange destructeur.

Nadia a toujours vécu dangereusement. Le 1er mars 1996, ce qui devait arriver arriva. Vers onze heures du matin, des policiers sont venus frapper à ma porte. En ouvrant, toute la peine que j'avais ressentie lors de la mort de Marc est revenue m'envahir.

— Bonjour, madame, avez-vous une fille du nom de Nadia Gharbi ? m'ont-ils demandé sur un ton solennel.

— Oui. Qu'est-ce qui lui est arrivé ? leur ai-je répondu, comme si je m'attendais depuis longtemps au pire.

— Votre fille a été retrouvée inconsciente il y a quelques heures et elle a été transportée en ambulance à l'hôpital Notre-Dame. Elle est très malade. Voulez-vous qu'on vous accompagne à son chevet ?

— Non merci, je vais y aller par mes propres moyens.

Ils trouvaient certainement étrange que je ne verse aucune larme. M'ont-ils trouvée ingrate ? Comment une mère peut-elle ne pas avoir de peine en apprenant que sa fille est dans un état grave ? Je me sentais usée par la tristesse. Seuls les condamnés à la peine capitale doivent ressentir la même chose. Quand le pardon qu'ils ont tant souhaité ne leur est pas accordé, ils doivent marcher, sans se retourner et sans broncher, vers la potence. C'est ce que j'allais faire encore une fois, avancer vers la mort. Impossible de revenir en arrière. Le destin était scellé. En me rendant hâtivement à pied à l'hôpital, je récitais des prières comme si je devais être condamnée à mourir de peine pour l'éternité.

Lorsque je suis arrivée précipitamment dans la pièce de l'urgence où reposait Nadia, j'ai eu un choc. Elle était branchée de partout et reliée à un respirateur artificiel. Le moniteur cardiaque, placé à côté de son lit, faisait un tintement régulier de battement de pouls et indiquait que la vie subsistait artificiellement en elle. Une faible lumière se reflétait sur son visage squelettique. Malgré ses cinq pieds, elle ne pesait pas plus que 90 livres. Elle était crispée et semblait avoir souffert avant de s'endormir. J'avais beau avoir l'habitude des hôpitaux, tous ces appareils médicaux et les solutés installés dans ses veines, déjà noircies par l'injection de cocaïne et d'héroïne, m'affectaient énormément. Une horloge placée sur le mur indiquait qu'il était midi. Le temps était compté.

Selon son médecin, Nadia allait franchir bientôt le dernier passage vers la mort. Je me suis approchée d'elle et j'ai posé ma main droite sur son corps recouvert d'un mince drap immaculé. Je pouvais sentir sa chaleur. Je me suis mise à réciter à voix basse des prières pour qu'elle parte tranquillement sans souffrir.

Le diagnostic était très grave : son cortex cérébral, responsable des fonctions les plus élevées du cerveau, était atteint. Nadia avait été retrouvée inanimée, victime d'une overdose à la suite de l'absorption de cocaïne par voie intraveineuse.

Durant la majeure partie des douze dernières heures de son existence, je suis restée assise près d'elle, sur une petite chaise, en lui tenant la main. Je lui disais que je l'aimais et que Jésus la chérissait également. Une amie est venue me rejoindre pour la veiller et elle a constaté que toutes les fois que je caressais le visage de Nadia et je lui disais que je l'aimais, les battements de son cœur augmentaient sur le moniteur. J'étais persuadée qu'elle pouvait m'entendre.

J'avais à prendre une terrible décision : autoriser ou non les médecins à débrancher les appareils qui la retenaient en vie. Je venais de terminer un cours en bioéthique médicale à l'Université de Montréal et je comprenais mieux que quiconque ce que cela signifiait. Ma décision était prise : ma fille devait être débranchée.

Peu avant le souper, un couple d'amis est venu me chercher et nous sommes allés au salon funéraire pour acheter une urne et faire tous les arrangements pour les funérailles. J'effectuais chacun de mes gestes machinalement, propulsée par l'adrénaline. Je voulais revenir rapidement au chevet de Nadia pour l'accompagner jusqu'à la fin.

Elle est partie tout doucement, sans faire de bruit, ce qui contrastait avec la vie tapageuse qu'elle avait menée. J'ai de nouveau regardé l'horloge, lorsque le médecin a constaté son décès. Il était exactement une heure du matin, le 2 mars 1996. Elle avait vingt-huit ans. Je suis demeurée quelques instants seule avec elle, me questionnant sur la temporalité de l'existence humaine. Le silence n'avait jamais été aussi lourd. J'avais l'impression que son âme flottait au-dessus de moi. J'ai mis ma tête sur son ventre devenu froid et je me suis mise à pleurer de douleur. J'avais été sa mère ; je n'étais plus rien. Comme son frère, elle venait de m'abandonner pour toujours.

Seule au monde, c'est comme cela que devait aussi se sentir Nadia quelques jours avant sa mort. J'ai su qu'elle vivait dans une piquerie du quartier Centre-Sud de Montréal, un endroit délabré où les dépravés et les drogués, engourdis par leurs doses répétées, en arrivent à ne plus savoir qui ils sont. Elle aura joué de malchance jusqu'à la fin. Elle a été découverte à l'appartement numéro 13 qu'habitait un de ses amis.

Le jour de ses funérailles, j'ai croisé une de ses compagnes dans la rue Ontario. Elle passait rapidement près de moi, en détournant son regard, lorsque je lui ai adressé la parole.

— T'es au courant pour Nadia ?

— Oui, j'ai appris la mauvaise nouvelle, a-t-elle répondu, l'air embarrassé.

Elle se sentait responsable de la mort de ma fille parce que Nadia avait tenté, quelques jours avant son décès, de lui emprunter de l'argent.

— Je lui ai répondu que je ne lui donnerais pas un sou. Alors Nadia a rétorqué qu'elle allait se suicider. Je lui ai dit : arrête de le dire et fais-le donc !

Je l'ai rassurée. Elle n'était responsable de rien et je l'ai invitée au salon funéraire. Elle est venue avec quelques amis dont le dernier compagnon de ma fille, qui avait déjà subi une cure de désintoxication en même temps qu'elle. Il devait y avoir une centaine de personnes. La thérapeute de Nadia et un travailleur de rue du centre-ville, qui s'occupaient d'elle à la fin de sa vie, étaient aussi présents pour lui dire adieu. J'ai remis au travailleur de rue tous les dons en argent amassés au funérarium pour qu'il poursuive son œuvre auprès des toxicomanes. Il pourrait certainement en aider quelques-uns.

Après l'incinération, les cendres de Nadia ont été exposées, pendant seulement une journée, dans un salon funéraire de la rue Papineau. Deux bouquets de fleurs et un cierge, orné d'un ruban mauve, entouraient l'urne et sa photo la plus récente, prise quelques mois plus tôt, sur laquelle elle était radieuse avec ses longs cheveux bouclés et son sourire plein de vie. Un diacre de mon Église a livré un message sur la mort et la résurrection, puis quelques parents et amis ont pris la direction du cimetière Notre-Dame-des-Neiges, où Nadia a été enterrée auprès de son frère Marc.

Les jours qui ont suivi, j'ai eu la force d'appeler pour annuler les prestations d'aide sociale de Nadia. J'ai aussi avisé la direction du cégep où elle étudiait quand elle le pouvait. Je l'avais inscrite en photographie au collège Dawson, mais elle avait trouvé le moyen de vendre ses appareils pour se payer de la drogue.

Épuisée, je me suis ensuite réfugiée chez moi pendant trois semaines, délaissant une fois de plus mon travail. Rien ni personne n'avait d'importance. Ma vie n'était plus qu'un supplice.

Perdre un enfant est la pire chose qui puisse arriver à des parents. Imaginez ce qui s'est produit dans mon cœur de mère. En l'espace de sept années, j'ai enterré mon garçon, puis ma fille, parce qu'ils ont décidé eux-mêmes d'en finir avec la vie. Mon existence n'avait plus aucun sens. Survivre à ses enfants va à l'encontre de la nature et de l'ordre normal des choses.

La vie est ainsi faite que nous assurons notre avenir, et celui de l'univers, en donnant naissance à des bébés, qui grandiront souvent trop vite et auront à leur tour une descendance un jour. Mais le cycle naturel, le processus normal de l'existence est détruit lorsque les jeunes disparaissent avant les plus vieux. Il apparaît alors un immense vide, incompréhensible, qu'aucune thérapie ne peut effacer complètement. Il faut apprendre à fonctionner jusqu'à notre dernier souffle avec cette douloureuse absence.

Quand Nadia est morte, je n'avais pas encore réussi à faire le deuil de Marc parce que le drame de l'École polytechnique était un événement historique et sans cesse médiatisé. Depuis la séparation d'avec mon ex-conjoint, en 1971, tous mes efforts et mon énergie avaient été déployés pour que mes enfants ne manquent de rien et atteignent l'âge adulte sans trop de difficultés. Ils étaient ma seule raison d'exister. Après leurs décès, tout s'est effondré.

Mon premier réflexe a été de couper presque tous mes liens avec le reste du monde. Je me suis repliée sur moi-même comme un fœtus pour me protéger de la folie. Mes journées étaient simples : je me levais en pleurant et me couchais en pleurant. Entre les deux, du matin au soir, je sanglotais. Je m'habillais rarement car cela demandait trop d'efforts. Je restais en pyjama. J'avais perdu la notion du temps. Il m'arrivait de dormir quelquefois de seize à trente heures consécutives. Je devenais comateuse. Le jour ressemblait à la nuit. Je provoquais involontairement cette ambiance nébuleuse en laissant mes rideaux fermés. Je me perdais dans l'obscurité. Sans luminosité, les objets autour de moi m'apparaissaient aussi difformes que mon esprit et les couleurs qui embellissent habituellement la vie s'effaçaient. Je ne mangeais presque plus. À quoi bon se nourrir lorsqu'on cherche inconsciemment à mourir ?

J'avais conservé une seule activité qui m'a été salutaire. Le mercredi et le dimanche soir, je me forçais à enfiler un chandail et un pantalon, puis je peignais mes cheveux gris, pour une des rares fois de la semaine, et je me rendais à l'église, dans l'est de la ville, où j'avais prié le 6 décembre 1989 pour la mère du tueur de l'École polytechnique, sans savoir à ce moment-là que c'était moi qui avais donné la vie au meurtrier. Au début, je craignais que ceux et celles qui assistaient à la soirée de prière me regardent différem-ment et me jugent parce que je n'avais pas été une bonne maman. La première fois que j'y suis retournée, après la mort de Nadia, tout le monde m'a saluée sans faire de commentaires. Je me suis assise à l'arrière de la salle et j'ai pleuré pendant toute la réunion. Le pasteur et les autres fidèles, complices, enterraient tour à tour mes sanglots en priant à haute voix. Pendant les moments de silence et de recueillement, mes larmoiements résonnaient dans le lieu de culte comme une imploration à me délivrer du mal.

Je priais sans cesse et je demandais au Seigneur d'apaiser ma souffrance après la perte de mes deux enfants. Lui seul pouvait comprendre, car sa mort tragique avait aussi précédé celle de sa mère. Puis je me suis rappelé ces versets de l'épître aux Philippiens qui disent : « Ne vous inquiétez de rien, mais en toute chose faites connaître vos besoins à Dieu par des prières et des suppications, avec des actions de grâces.

« Et la paix de Dieu, qui surpasse toute intelligence, gardera vos cœurs et vos pensées en Jésus christ[3]. »

J'ai été tentée d'abandonner à de nombreuses reprises, car malgré mes supplications je ne parvenais pas à retrouver une paix intérieure ni à faire mon deuil. Je ne me reconnaissais plus. Quelquefois, la peine qui m'affligeait laissait place à la colère. Je devenais irritable. Il m'est arrivé de me présenter à la pharmacie et de faire un scandale parce qu'on ne me servait pas sur-le-champ.

Trois mois après la mort de Nadia, j'ai réussi malgré tout à retourner travailler au centre Saint-Charles-Borromée à Montréal. Toute mon énergie était canalisée pour me permettre d'effectuer mes huit heures de travail, comme coordonnatrice des soins infirmiers, et soulager mes patients lourdement handicapés. Chaque jour, je devais côtoyer la mort qui rôdait, celle des malades en fin de vie, et parfois celle de mes patrons dépressifs. La journée même où Nadia est morte, mon directeur des finances

---

3. La Bible (Louis Second), Philippiens 4 : 6 - 7.

s'est suicidé. Le directeur général de l'établissement a fait la même chose quelques années plus tard. Chaque tragédie me plongeait dans la désolation. Je revenais chez moi démoralisée, après chaque quart de travail. Il me restait juste assez de force pour m'asseoir dans un coin de mon appartement et prier en pleurant, ou me coucher pour que le temps passe plus vite et endorme mon mal.

J'ai eu le bon réflexe de ne pas me laisser emporter et j'ai demandé de l'aide. Je ne sais pas ce qu'il serait advenu de moi si je n'avais pas rencontré des personnes formidables qui ont aidé à ma guérison : mon médecin de famille, la Dre Danielle Leblanc, et un travailleur social, Gilles Leblanc. Ils allaient mettre de la clarté dans ma vie devenue très sombre.

Quand la mort m'a accablée, j'ai oublié tout ce que j'aimais encore dans la vie. C'est comme si on venait d'éteindre la lumière qui me permettait de voir les beautés du monde. Mon cerveau a été envahi par d'obscures pensées et le sang qui coulait dans mes veines n'était plus qu'une rivière de peine. Mon cœur avait énormément de difficulté à pomper le chagrin, les regrets, les remords. Je subissais continuellement les assauts de l'affliction. La dépression et le découragement m'empoisonnaient lentement.

Mes amis m'encourageraient et me disaient que je m'en sortirais ; je ne les croyais pas. C'était devenu trop pénible. J'étais comme un vase de porcelaine, brisé en mille morceaux et impossible à recoller. Je ne pourrais jamais redevenir cette femme dynamique qui avait surmonté de nombreuses épreuves. Je voulais essayer de calmer mes angoisses, mais je ne savais pas par où commencer, jusqu'à ce que je comprenne que la seule façon de rallumer la flamme était de revenir à l'essentiel, c'est-à-dire à tous les petits bonheurs de la vie facilement accessibles, peu importe que l'on soit pauvre ou riche. C'est ce que m'a fait comprendre mon travailleur social durant ma première visite à son petit bureau du centre-ville.

En le voyant la première fois, j'ai été impressionnée par ses cheveux ondulés et châtains et ses yeux bleus comme le ciel. Son sourire contagieux est amplifié par une moustache qui orne sa lèvre supérieure et lui donne un petit air sérieux. Gilles Leblanc a franchi le cap de la quarantaine mais est en grande forme. Il a le corps svelte des cyclistes qui parcourent des centaines de kilomètres chaque semaine. Avec lui, j'ai eu rapidement la conviction de remonter la pente abrupte et de ne plus pédaler dans le vide. Il m'a fait comprendre que les choses les plus simples, qui m'avaient rendue heureuse dans le passé, pouvaient créer une étincelle et me faire brûler d'une envie de revivre, de ressusciter.

— Qu'est-ce que vous aimiez faire avec vos enfants? me demanda-t-il.

Je trouvais cette question inutile. À quoi bon me rappeler ce que je faisais avec mes enfants? Marc et Nadia n'étaient plus là. Je me demandai tout de même où il voulait en venir et je décidai de lui répondre par ce qui me passait par la tête.

— J'aimais beaucoup jouer au Scrabble!

Je m'attendais à le voir froncer les sourcils, exaspéré par cette réponse insensée. Au contraire, il me félicita.

— Je vous encourage fortement à jouer au Scrabble. Ça va vous faire du bien!

J'avais oublié que j'avais beaucoup de plaisir à pratiquer ce loisir avec Gamil et Nadia quand ils étaient jeunes. On se réunissait en famille, autour de la table de la cuisine, et les cris de joie des gagnants alternaient avec les murmures de déception des perdants. C'est ainsi que j'ai décidé de jouer le jeu, convaincue que cet homme ne bluffait pas. Sans trop savoir où cela me conduirait, et si j'y gagnerais vraiment quelque chose, je me suis inscrite à un club de Scrabble.

J'étais nerveuse lorsque je me suis rendue pour la première fois, un mardi soir, dans un centre communautaire, à Longueuil. Le vieil édifice était situé juste derrière une église. En descendant de ma voiture, je n'ai pu m'empêcher de regarder le haut clocher qui pointait vers le ciel et j'ai pensé que mon Père céleste n'était pas très loin pour veiller sur moi. J'ai pris mon courage à deux mains et j'ai hésité avant d'entrer dans le local. Ça me faisait peur d'aller rencontrer des personnes que je ne connaissais pas. Allaient-elles me reconnaître et me poser des questions? Heureusement, tout s'est bien passé dès le moment où j'ai franchi les grandes portes de bois conduisant à une immense salle de jeu. Une quarantaine de tables étaient disposées aux quatre coins de la pièce et les participants, la plupart âgés, faisaient un bruit assourdissant en discutant entre eux, perdus au milieu d'un nuage de fumée de cigarettes.

Une personne souriante s'est approchée de moi et m'a présentée à un groupe très accueillant. Je redevenais finalement quelqu'un. Je n'étais plus uniquement la mère de Marc Lépine, celle qui ressemblait à un spectre et se cachait depuis trop longtemps derrière la mort. J'ai découvert que jouer, s'amuser, se dépasser pour remporter la victoire, est probablement la meilleure thérapie qui puisse exister. Il faut dire que je n'étais pas la meilleure, mais c'était mon petit moment de bonheur hebdomadaire. Je mettais en pratique les trucs que j'utilisais dans le temps avec Marc et Nadia. J'avais l'impression qu'ils étaient encore à mes côtés et m'aidaient à trouver les lettres et les mots nécessaires pour gagner. J'étais tellement absorbée par ce loisir que je me suis mise à acheter des livres pour améliorer ma technique.

À la fin de la première soirée, je me suis aperçue que j'avais oublié mes clés à l'intérieur de ma voiture, à cause de mon énervement. Toutes les portières étaient verrouillées et le moteur fonctionnait encore. J'ai réussi à surmonter ma gêne et j'ai demandé à une compagne de jeu si elle acceptait de me raccompagner chez moi, à Montréal, pour que j'aille chercher le double de mes clés. Elle a accepté avec empressement. Nous avons discuté de tout et de rien et cela aussi m'a fait du bien. Je commençais à me réconcilier avec la vie et je sortais de ma torpeur. En me voyant sourire pour une rare fois depuis longtemps, personne n'aurait pu penser que j'étais la mère d'un tueur et que je venais aussi de perdre ma fille. C'était mon secret. Je l'ai conservé précieusement pendant les quatre années que j'ai fréquenté ce groupe.

Tenter par tous les moyens de se divertir est l'un des meilleurs médicaments que je connaisse pour réduire le stress. J'avais presque oublié qu'après la mort de Marc je m'étais inscrite à un cours de flûte traversière, dans une école située près du boulevard Saint-Joseph. Une fois par semaine, je pratiquais le solfège avec des enfants âgés de sept à dix ans. J'en avais cinquante-trois. Il n'y a pas d'âge pour apprendre et rajeunir ! J'ai abandonné quand ma fille a volé ma flûte pour se payer de la drogue. Apprendre à jouer d'un instrument de musique me distrayait autant que de pratiquer le Scrabble. J'avais le cœur de plus en plus jeune au contact des bambins.

Mon travailleur social était fier de mon attitude positive. Il continuait à avoir beaucoup d'influence sur moi. *Mens sana in corpore sano* est une citation latine, presque aussi vieille que le monde, qui signifie « un esprit sain dans un corps sain ». Il voulait maintenant que je l'applique, que je bouge pour me changer les idées. C'est ainsi que j'ai recommencé à patiner. Quand Nadia était petite, je laçais ses patins et on s'élançait toutes les deux, main dans la main, sur les patinoires des arénas, au rythme des valses de Strauss. Je la revois me montrer à quel point elle était bonne quand elle effectuait des virages difficiles sans tomber. On pratiquait aussi le vélo. J'ai ressorti ma bicyclette du placard et j'ai roulé pendant des heures sur les pistes cyclables, n'ayant que le vent et le soleil comme compagnons. J'ai également repris goût au tennis et, pour me défouler, je me suis inscrite à un club et j'ai frappé avec force des balles sur plusieurs courts.

Malgré ces petits moments de plaisir, et les bienfaits reconnus de l'exercice physique, le match de la vie était loin d'être gagné. De nombreux maux psychologiques m'oppressaient lorsque je me retrouvais seule. En dépit de toute ma bonne volonté, je ne pouvais ignorer tout ce que je venais de vivre durant les dernières années. Mon pouls s'accentuait et j'avais des palpitations cardiaques quand je me retrouvais en songe au cimetière, auprès de mes enfants, ou encore dans les locaux ensanglantés de l'École polytechnique. Mes pensées négatives faisaient régulièrement surface et m'enlevaient presque toute ma vitalité.

Cela ne fonctionnait pas bien dans ma tête, alors cela ne pouvait pas bien aller dans mon corps. Je faisais de l'eczéma en raison de mon stress. J'avais des rougeurs et des démangeaisons sur le visage. Ma nervosité constante entraînait des problèmes digestifs.

Après le décès de Nadia, les rapports de mon médecin, Danielle Leblanc, faisaient souvent état de fatigue et de découragement, de dépression majeure, soignée à l'aide de médicaments pendant deux ans. Pour me détendre, je buvais un peu de vin en mangeant. Un jour, j'ai mélangé cet alcool au Prozac, un antidépresseur bien connu, ce qui a aggravé mon état dépressif. Je détestais prendre des médicaments, même s'il le fallait absolument. J'absorbais à l'occasion un somnifère avant de me coucher, mais jamais plus d'un à la fois.

Assise à son bureau, la Dre Leblanc replaçait ses lunettes sur son nez chaque fois que je lui faisais part d'un nouveau problème. Cela lui permettait certainement de mieux voir en moi comme elle savait toujours si bien le faire. Elle se levait ensuite, grande et élancée, se rapprochant calmement pour prendre ma tension artérielle ou mieux m'examiner. Elle m'offrait régulièrement douceur et soutien en me répétant que la situation s'améliorait. Si tous les médecins étaient comme le mien et prenaient conscience que leurs encouragements guérissent souvent tout autant sinon plus que leurs pilules, plusieurs modifieraient probablement leur pratique pour être plus humains.

Heureusement qu'à cette époque il y avait aussi la musique pour me détendre un peu. Avant de me coucher, je mettais un disque dans le lecteur CD installé sur ma table de chevet et je me laissais bercer par des cantiques spirituels. Il m'arrivait de m'endormir au milieu de la nuit, après m'être retournée des centaines de fois dans mon lit, exténuée par les pensées les plus morbides qui soient.

Nuit et jour, je ne réussissais pas à retrouver la sérénité et à me défaire de ma culpabilité. J'avais l'impression d'avoir laissé mourir ma fille d'une overdose et mon fils était devenu un des pires criminels au monde, sans que j'intervienne. Il avait transgressé la valeur la plus fondamentale en laquelle je crois : le caractère sacré de la vie.

J'avais beau essayer de comprendre ce qui s'était passé et rejeter la faute sur la société, leur père qui les avait abandonnés en bas âge, ou leurs mauvaises fréquentations, j'en arrivais toujours à la conclusion que j'avais une large part de responsabilité. Je ne voyais que mes erreurs, la façon dont je les avais éduqués. J'étais convaincue que je ne les avais pas assez aimés ni assez encouragés dans leurs projets.

Je tentais de cacher mes blessures émotionnelles mais elles existaient toujours. J'étais humiliée parce que Marc et Nadia avaient choisi de résoudre leurs souffrances intérieures en s'enlevant la vie plutôt que de se confier à moi. La honte, m'a dit un jour Denis Morissette, un psycho-éducateur de mon Église à qui je m'étais confiée, est une émotion obscure et lourde comme le plomb. Elle engourdit la personne éprouvée en lui envoyant le message qu'elle ne vaut rien. Cette émotion insidieuse lapidait mon imagination. J'entendais mes enfants me lancer chacun à leur tour ces mots en plein visage :

« Tu n'es ni assez valable, ni assez importante pour que je m'appuie sur toi. Je ne me soucie pas de ta réaction. De toute façon, tu as ta part de responsabilité dans ce qui m'arrive et tu es incapable d'y changer quoi que ce soit. Je me hais, alors je te hais aussi ! Tu vas en payer le prix en pleurant ma mort ! »

Pourquoi mes enfants me détestaient-ils à ce point ? Pour le savoir et me guérir, il me fallait retourner dans mon passé le plus lointain, revoir en entier le film du temps. Mes enfants ne se sont pas faits seuls. Ils ont indéniablement hérité d'une partie de ma personnalité, de mes angoisses, de mes peurs et aussi de mes colères. Ils sont devenus, j'en suis convaincue, ce que j'aurais probablement pu être moi aussi si je n'avais pas pu contenir la bête qui sommeillait en moi. Mais ils avaient également hérité à 50 % des gènes de leur père. J'ai entrepris ce voyage sur le chemin de mes souvenirs avec beaucoup d'appréhension.

Il était une fois… C'est ainsi que débutaient la plupart des contes qu'on me lisait lorsque j'étais toute petite. Les histoires étaient courtes et simples, imagées pour qu'on les comprenne mieux, et se terminaient toujours bien. Un charmant jeune homme délivrait une princesse et ils vivaient heureux jusqu'à la fin de leurs jours. Rien à voir avec le récit de ma vie, que j'aurais pourtant voulu fantastique.

Je ne vous parlerai pas de ma famille, de mes frères et sœurs toujours vivants. Vous m'en excuserez, mais ils ne le veulent pas. Ils sont restés profondément marqués par la mort de Marc et la tragédie de l'École polytechnique et ont toujours regretté que mon fils ait souillé le nom des Lépine. Ils ont aussi très peur des journalistes qui pourraient encore les identifier et leur poser des questions auxquelles ils ne veulent pas répondre. J'ai fait la promesse de respecter leur souhait, ce qui ne m'empêche pas de vous raconter d'où je viens.

Je suis née à Montréal, à trois heures du matin, le 20 décembre 1937. Mes parents avaient déjà acquis une certaine maturité, puisque ma mère avait trente-huit ans et neuf grossesses à son actif. Je suis la neuvième de dix enfants. À quarante-quatre ans, mon père commençait à se faire vieux. J'ai été aux dires de mes parents un accident de la nature. Je n'aurais jamais dû voir le jour, ce qui fait que Marc Lépine n'aurait jamais existé lui non plus. Enfin, c'est ce que je pense quand ma culpabilité reprend le dessus.

Nous habitions une charmante résidence dans le quartier Ahuntsic. Il y avait un grand salon au rez-de-chaussée, un studio de lecture, une salle à manger, et une immense cuisine pour accueillir les visiteurs. À l'étage supérieur, cinq chambres à coucher avaient été aménagées par mon père. Il agrandissait la demeure au rythme de la venue au monde des tout-petits. Comme j'étais un des bébés de la famille, j'avais droit à mon intimité et à mon lit, alors que mes frères et sœurs aînés devaient partager les autres pièces.

J'étais gâtée et je réclamais beaucoup d'affection. Ma mère était toujours à la maison pour prendre soin de la marmaille alors que mon père, un employé de la ville de Montréal, était très impliqué sur le plan social. Il était marguillier à l'église et un des cofondateurs de la Caisse populaire locale. Nous appartenions à la classe moyenne supérieure de la société québécoise.

Je vécus mon enfance durant la Seconde Guerre mondiale, mais je ne manquais de rien. Tout ce dont je me souviens de cette sombre période, c'est que mes parents devaient utiliser des bons de rationnement alimentaire pour aller chercher des denrées à l'épicerie. Je les entendais aussi parler souvent de mes deux grands frères qui combattaient en Europe, l'un dans l'armée de terre et l'autre dans l'aviation. Ils sont revenus blessés en 1945.

Dans la cour arrière de notre maison, je jouais souvent avec mes amies. On montait de petites pièces de théâtre, et les spectateurs qui venaient nous voir devaient payer la modique somme d'une épingle à linge ! J'ai toujours aimé jouer la comédie et je rêvais de devenir une grande actrice, mais cela ne correspondait pas tout à fait aux valeurs de mon père, qui voyait les artistes féminines comme des êtres aux mœurs légères. Quand il disait quelque chose, on ne devait jamais contester son autorité.

Il croyait par contre aux bienfaits de l'activité physique, étant lui-même un excellent nageur et très habile dans de nombreux sports. Il avait installé derrière notre demeure des balançoires, des trapèzes, et même un fil de fer où les acrobates en herbe du voisinage s'en donnaient à cœur joie.

Il y avait continuellement de la visite chez nous. Quand la télévision est apparue, en 1952, nous avons été l'une des premières familles à en avoir une. Tous les voisins se précipitaient pour venir regarder le hockey ou la lutte. Par contre, le dimanche, il n'était pas question de rester à la maison. C'était la journée consacrée à la promenade. Tous les enfants de la maisonnée faisaient la file pour monter, tassés comme des sardines, dans la grosse voiture Ford de mon père. Il nous empestait en fumant son énorme cigare, pendant que nous circulions aux quatre coins de la ville. Je trouvais quelquefois le temps long et j'inventais des charades à partir de tout de ce que je voyais : les églises, les magasins, les champs, les fleurs. Parfois, quand je parlais trop, mes parents me donnaient vingt-cinq sous pour que je me taise pendant une demi-heure. J'avais souvent de la difficulté à tenir ma promesse.

J'ai commencé à fréquenter l'école primaire à l'âge de cinq ans. Je me rendais, à pied, à l'école Saint-Émile, située près de chez moi, à l'angle des rues Drolet et Crémazie.

La première journée de classe, j'ai enfilé mon uniforme noir avec un collet blanc très rigide qui me faisait mal au cou, ainsi que mes bas noirs. Je croyais qu'avec cette tenue vestimentaire très sérieuse, j'étais en voie de devenir une grande personne. À cet âge, j'étais déjà très exigeante envers moi-même. J'aimais étudier et je voulais toujours avoir de bonnes notes. J'étais satisfaite uniquement lorsque mes résultats scolaires dépassaient 80 %. Apprendre demandait beaucoup de concentration, alors quand il y avait trop de bruit chez moi, j'allais m'asseoir sur les bancs de l'église voisine pour étudier. Il m'arrivait de rester là, muette, lorsque le prêtre s'adressait sur un ton monotone à ses ouailles, durant l'office de fin d'après-midi. L'atmosphère religieuse et l'odeur forte de l'encens me rassuraient.

Élevés dans la foi catholique romaine, mes parents exigeaient que tous leurs enfants se rendent à la messe le dimanche matin. Cela n'a jamais été une corvée pour moi. Jésus faisait partie de ma vie et je m'efforçais de suivre ses commandements à la lettre, car je craignais un jour de me retrouver en enfer, comme le disait le curé lorsqu'il montait en chaire. En quatrième année, j'ai commencé à éprouver une dévotion pour la Sainte Vierge. Mon institutrice faisait tirer un sac de bonbons et une statuette de la Vierge que je désirais vivement gagner. Je priais pour que mon nom soit pigé, mais c'est une autre élève qui a eu le premier choix. À ma grande surprise, elle a préféré les bonbons et, par chance, tout de suite après, mon nom a été tiré au sort. J'ai pu repartir pieusement en tenant dans mes mains la petite statue qui me protégeait.

À l'âge de sept ans, ma foi a été encore une fois récompensée. Mon institutrice avait organisé un pèlerinage à Cap-de-la-Madeleine avec tous les élèves de la classe pour célébrer la fin de l'année scolaire. Je me souviens du parfum du pont des Chapelets. Il était magnifiquement orné de fleurs pour rendre gloire à Marie, et les chapelles bondées de croyants. Nombreux étaient ceux et celles qui croyaient encore aux miracles dans les années quarante. Je ne faisais pas exception à la règle. Je suis née avec ce qu'on appelle une petite tache de vin sur le côté gauche de ma taille. J'avais acheté une bouteille d'eau bénite au cours de cette visite et, dans ma candeur d'enfant, chaque soir, je me retirais dans ma chambre pour arroser ma marque dans l'espoir de la voir disparaître. Toute la famille riait de moi parce qu'une de mes sœurs m'avait surprise en train d'utiliser l'eau consacrée pour des besoins purement esthétiques. Ils ont cessé de rigoler quand la tache a disparu complètement après seulement quelques semaines de piété. L'eau bénite n'avait probablement rien à voir là-dedans, mais cet événement avait fait grandir ma foi.

En 1950, j'ai demandé à mes parents de m'envoyer au pensionnat Notre-Dame-des-Anges de Ville Saint-Laurent, dirigé par les sœurs de Sainte-Croix. Je voulais fuir le brouhaha et l'agitation de mes frères et sœurs et retrouver une quiétude spirituelle, semblable à celle ressentie quand je repassais mes leçons à l'église de mon quartier. J'avais onze ans et, contrairement à mes copines de classe, je faisais preuve d'indépendance vis-à-vis de ma famille. Certaines trouvaient très difficile d'aller chez leurs parents seulement une fois par mois, alors que cela me convenait parfaitement, d'autant plus que ma mère et mon père me rendaient visite au parloir chaque dimanche, après la grand-messe.

Mes quatre années passées au pensionnat ont été très monastiques. Je me réfugiais souvent dans l'imaginaire pour m'évader. Je rêvais, lorsque viendrait la fin de mes études, de devenir une mère de famille avec plusieurs enfants. Le lendemain, je changeais d'idée. Je me voyais en train de consacrer ma vie à Dieu, comme le faisaient mes enseignantes. J'essayais de comprendre ce qui avait pavé le destin de ces religieuses, toutes plus vieilles les unes que les autres, avec leurs visages cireux et leurs coiffes qui leur donnaient un air sérieux et parfois méchant. Avaient-elles connu des peines d'amour douloureuses pour ainsi fuir les hommes et se donner entièrement au Christ ? Elles ne parlaient jamais de leur passé et s'assuraient qu'on ne pose pas de questions là-dessus en nous obligeant à consacrer nos journées à Jésus.

Dans ce pensionnat, tout était réglé au quart de tour, du matin au soir, pour empêcher les adolescentes d'avoir des pensées impures. Dès le lever, à 6 h 30 du matin, nous faisions notre toilette et nous devions nous aligner dans un grand corridor pour nous diriger en silence vers la chapelle. Après la messe et le déjeuner, nous avions droit à une courte période de récréation, avant de commencer les cours qui duraient sans relâche de 8 h 30 à 11 h 30. Suivait le dîner, puis d'autres cours jusqu'à 17 h 30. Après le souper, nous devions prier et encore une fois étudier jusqu'à 20 h 30, l'heure du coucher.

Je m'étais rapidement habituée à cette vie très disciplinée qui exigeait de tout accepter sans rechigner. C'était peut-être dû à mon innocence et au rôle de gamine très obéissante que je devais jouer. J'étais la plus petite du pensionnat, et lorsque nous formions des rangs, j'ouvrais toujours la marche. À quinze ans, alors que la majorité des pensionnaires avait une taille de femme, je conservais l'allure d'une fille et, à mon grand désarroi, ma poitrine était aussi plate qu'une planche à repasser. Je pensais encore à m'amuser alors que les autres fantasmaient déjà sur les garçons.

Nous couchions dans des dortoirs de quatre-vingts élèves. Nous avions chacune notre lit, ceinturé de quatre rideaux pour plus d'intimité, et une table de chevet. Quand l'une d'entre nous faisait un mauvais coup, les religieuses retiraient un rideau, ce qui obligeait la coupable à se déshabiller et à se laver à la vue de tous les regards indiscrets. Cela m'est souvent arrivé parce que je parlais quand je n'avais pas le droit de le faire. J'ai trouvé l'expérience très humiliante.

J'étais un peu effrontée, et de temps en temps, je disais tout ce qui me passait par la tête. Un jour, j'ai trouvé une jarretelle par terre et j'ai eu le culot de demander à une bonne sœur si cette pièce vestimentaire lui appartenait. Mes amies ont pouffé de rire mais pas la religieuse, dont le visage est devenu rouge de honte et de colère. Je croyais qu'elle me pardonnerait cette étourderie, mais le résultat ne se fit pas attendre ; j'ai eu une très mauvaise note dans mon bulletin scolaire pour souligner mon comportement indigne.

Malgré mes écarts de conduite, je m'efforçais de devenir sage comme une image afin d'avoir l'autorisation de jouer du piano et de chanter dans la chorale du pensionnat, ou encore de participer aux pièces de théâtre du père Paul-Émile Legault. J'appris à me méfier de certaines religieuses, car elles me surveillaient désormais davantage afin de me prendre en défaut. Certaines racontaient n'importe quoi pour assouvir leur besoin d'autorité et de fascination. Elles tentaient malhabilement de faire notre éducation sexuelle et nous invitaient à être sur nos gardes à notre sortie du couvent. Des mâles affamés de chair fraîche nous inviteraient à danser et à faire la fête. Pour ces bonnes sœurs, ces hommes étaient en réalité des démons ! J'étais impressionnable et j'avais peur. La consigne était claire : nous devions nous tenir les jambes serrées et obéir aveuglément à tout ce qu'elles nous disaient. Si par malheur nous osions demander des explications sur les garçons et leur anatomie, elles avaient tôt fait de se dérober.

On ne nous apprenait pas à comprendre et avoir un sens critique. Nous devions toujours être soumises : à Dieu, aux religieuses, à nos parents, et plus tard à notre époux, pour fonder une famille et avoir de nombreux enfants, comme le prônait l'Église catholique. Nous devions être des femmes fortes. Il n'y avait aucune place pour l'apitoiement. Pas question non plus d'être malade ou de rester au lit en raison d'un rhume ou d'une grippe. Cela aurait été de l'exagération. J'ai toujours appliqué ce modèle de bonne conduite par la suite. Lorsque je travaillais dans les hôpitaux, je ne me souviens pas d'avoir déjà pris une journée de congé pour cause de maladie. Je me serais sentie coupable. J'ai aussi été soumise à mon mari, comme les religieuses me l'avaient enseigné, avec pour résultat que je n'ai jamais pu lui dire non, pendant des années, malgré son agressivité et ses tromperies.

Le temps s'est tout de même écoulé rapidement chez les religieuses. À seize ans, j'étais finalement en pleine transformation physique et mon corps ressemblait de plus en plus à celui des autres filles de mon âge, ce qui n'était pas trop tôt. Je commençais lentement à penser aux garçons mais je dois avouer que mon avenir professionnel me préoccupait beaucoup plus. Ambitieuse, je voulais réussir dans la vie. Dans les années cinquante, les choix de carrières étaient plutôt restreints pour une jeune Québécoise. Je pouvais devenir enseignante, secrétaire, ou infirmière. Soigner les malades était ce que je souhaitais le plus au monde. Je voulais être aussi dévouée que Florence Nightingale, cette Britannique qui a vécu au XIXᵉ siècle et qui a donné ses lettres de noblesse au nursing. Mon père n'était pas d'accord. Il considérait que les filles n'avaient pas à poursuivre de longues études car, tôt ou tard, elles allaient se marier et rester à la maison pour accomplir des tâches ménagères et prendre soin des rejetons. J'étais fermement décidée à lui prouver le contraire.

Comme l'âge requis pour être admise à l'école des infirmières était de dix-huit ans, j'ai dû patienter deux ans, jusqu'en février 1956, avant de commencer mon cours à l'Hôtel-Dieu de Montréal. Entre-temps, j'ai suivi un cours de secrétariat pendant une année, puis j'ai travaillé comme commissionnaire au bureau d'admission de l'hôpital Notre-Dame de l'Espérance, à Ville Saint-Laurent.

Le cours d'infirmière n'avait rien à voir avec la formation qui est offerte aujourd'hui dans les collèges. Chaque pensionnaire devait partager sa chambre avec une collègue. Nous étudiions une partie de la semaine, puis nous mettions en pratique ce que nous apprenions. Il m'arrivait d'être ce qu'on appelait alors dans le monde infirmier une grande gardienne, c'est-à-dire que je suivais mes cours le jour, jusqu'à dix-huit heures, puis je travaillais dans une unité de soins, jusqu'à huit heures du matin. C'était épuisant. Chaque quart de travail commençait par la prière, parce que les religieuses dirigeaient la formation des infirmières.

Notre uniforme reflétait l'aspect spirituel des lieux. Nous avions l'allure de femmes très pieuses avec nos voiles et nos longs tabliers empesés. Une odeur de chloroforme flottait dans l'air chaud. Quelques chuchotements émanant du poste des infirmières témoignaient de la vie subsistant au milieu des malades moribonds. Nous n'étions que trois pour soigner cinquante patients sur le quart de nuit, ce qui ne nous laissait aucun répit et faisait de nous une main-d'œuvre bon marché puisque nous recevions une allocation de cinq dollars par mois pour nos bons et loyaux services.

Dès le crépuscule, tout était très sombre dans les longs corridors de l'Hôtel-Dieu et les chambres beaucoup trop noires pour une jeune étudiante comme moi que la mort pétrifiait. En faisant ma tournée, une nuit, j'ai constaté qu'un homme pas très âgé, atteint d'une cirrhose du foie, râlait. Du liquide verdâtre s'écoulait de son nez, de ses oreilles et de sa bouche. Je lui ai porté secours en attendant que l'infirmière diplômée, que j'avais sonnée, arrive en courant. Ce patient, dont je n'oublierai jamais le visage livide, est mort dans mes bras sans que je puisse apaiser ses souffrances. En état de choc, je suis demeurée seule avec lui pour le laver avant que le médecin vienne constater son décès. Après quoi, j'ai placé le corps dans un linceul, jusqu'à l'arrivée de l'employé de la morgue. Puis, je suis retournée au poste de garde. Ma supérieure s'est alors aperçue qu'elle avait omis de déposer un carton sur le cadavre afin de l'identifier et m'a demandé de le faire à sa place. Je suis retournée dans la chambre et, lorsque j'ai ouvert la porte, la frayeur m'a envahie. Après ma poussée d'adrénaline, je reprenais contact avec la réalité. Le décès de ce pauvre homme me donnait la frousse. J'ai déguerpi et couru à longues enjambées jusqu'à l'autre bout du corridor, poursuivie par mes fantômes. L'infirmière m'a ramenée à la raison en me parlant calmement et en m'accompagnant de nouveau jusqu'à la chambre du défunt. Cela n'a malheureusement pas fait disparaître automatiquement ma peur des morts ou plutôt de la mort. Passer de vie à trépas représentait alors pour moi une telle incertitude que je ne pouvais pas dominer mes angoisses. Cela m'a pris beaucoup de temps pour apprivoiser tout ce qui entoure la disparition des êtres humains. Dans mon travail, j'ai assisté par la suite à des fins de vie plus paisibles. Cela a eu l'effet d'un baume.

Mais curieusement, mes craintes ont complètement disparu la nuit où j'ai cessé de croire que mon fils reviendrait pour me tuer. Il ne me faisait plus mourir de peur. J'avais eu raison de cette grande noirceur et la mort prenait pour moi une toute nouvelle signification. Elle représentait désormais la vie après la vie, celle à laquelle je crois et qui m'a redonné espoir. Mais avant d'en arriver là, il m'a fallu traverser des périodes d'anxiété et de doutes.

Je croyais avoir la foi et la vocation. Au cours de ma deuxième année de formation d'infirmière, en 1958, l'étudiante qui partageait ma chambre m'a invitée à me joindre à elle pour une retraite fermée. Ce week-end, consacré à Dieu, devait changer ma vie. À vingt ans, je suis devenue religieuse semi-cloîtrée en milieu hospitalier, bien décidée à sauver le monde.

Seul le balancier de la vieille horloge, accrochée au mur de la grande pièce du couvent, brisait le lourd silence en faisant un léger bruit rythmé. Aucun autre son ne venait déranger nos âmes et nos pensées plongées dans la méditation. Assises autour d'une grande table de bois et habillées de nos vêtements religieux, nous vaquions à nos activités habituelles : travaux manuels, couture, jeux d'aiguilles. J'étais si adroite que j'ai réussi à confectionner une grande nappe au crochet en utilisant du fil d'écru.

Lors des repas servis dans de vieilles assiettes en aluminium, l'une d'entre nous était désignée à tour de rôle par la sœur supérieure pour lire à haute voix l'histoire de la fondatrice du premier hôpital de la colonie, Jeanne Mance. Le reste du temps les règles étaient strictes : nous ne pouvions parler qu'une heure par jour, même quand il nous était permis d'aller marcher l'été, dans les odorants jardins de l'institution. C'était le prix à payer pour atteindre mon but, moi qui aimais tant jaser. J'avais de nombreux rêves. Je voulais devenir missionnaire et partir à la conquête des contrées lointaines les plus pauvres. Je me voyais en Afrique, soignant les lépreux, ou en Amérique du Sud, pansant les plaies vives des populations indigènes.

Nous devions nous consacrer totalement à la vie en communauté, et qui dit communauté dit aussi propreté. Tout brillait comme un sou neuf. Nous étions une trentaine à nous partager les tâches ménagères. J'étais malade rien que de sentir l'odeur des produits nettoyants et on m'exemptait des gros travaux. Je devais cependant épousseter le parloir et les trop nombreuses chaises de bois disposées un peu partout. Mis à part cet exercice qui revenait sans cesse, nous avions une vie plutôt sédentaire. J'avais réussi à convaincre une des supérieures que notre bonne santé à toutes dépendait très largement de nos activités physiques d'où l'importance de faire de la gymnastique. Elle m'a demandé, bien religieusement, de partager mon talent. Chaque matin, je me plaçais devant les autres, dans la grande pièce du couvent, et je les invitais à faire des mouvements et à danser sur des airs folkloriques.

Vous auriez dû les voir, pudibondes dans leurs vêtements religieux, et leurs visages rosés après plusieurs minutes d'efforts. Les plus âgées avaient l'apparence de petites filles qui pouvaient finalement se défouler après avoir été trop longuement asservies. Cette séance de gymnastique était devenue si populaire qu'on m'avait surnommée « la sœur volante » en raison de la populaire série télévisée.

Je semblais planer devant les autres et m'élever pour aller vers Dieu, mais ce n'était pas le cas. J'étais continuellement tourmentée par le choix que j'avais fait de vivre en communauté. Cela ne me ressemblait pas vraiment. J'avais besoin d'air et de liberté. La troisième année au couvent, j'ai terminé mes stages d'étudiante infirmière pour ensuite remettre en cause ma vocation. J'ai écrit au pape, comme le voulait la tradition, pour rompre mes vœux de pauvreté, de chasteté et d'obéissance.

Je n'étais pas prête à donner complètement ma vie à Dieu. L'enseignement que j'avais reçu n'avait pas réussi à me convaincre. À l'époque, c'était très bien vu quand chaque grande famille québécoise fournissait un de ses enfants au clergé ou à une congrégation. Dès ma tendre jeunesse, j'avais été influencée par mes professeurs, des religieuses, qui m'avaient incitée à suivre leurs traces. Quelques-unes des supposées saintes femmes de l'Église, côtoyées pendant toutes ces années d'études, m'ont finalement beaucoup déçue. Je m'attendais à ce que toutes soient totalement dévouées aux malades et aux pauvres. Certaines d'entre elles tentaient malheureusement beaucoup plus de plaire aux médecins pour en retirer des faveurs diverses.

La religion, celle que je pratiquais avec elles, était devenue un carcan. Tous les enseignements reposaient sur des postulats négatifs et déconnectés de la réalité : crainte de l'enfer, crainte du péché, crainte de ne jamais être parfaite pour plaire à Dieu. J'en avais trop entendu. En pleine Révolution tranquille au Québec, mon erreur avait été de croire que la religion des hommes et Dieu étaient du pareil au même. J'ai tout rejeté et je suis alors devenue une catholique non pratiquante pendant vingt ans.

Ma sortie fut théâtrale. Il me restait un cours de déontologie à terminer avant d'obtenir mon diplôme d'infirmière. Il n'était pas question que j'abandonne. Je me suis présentée en classe, habillée en civil. Les autres étudiantes, toutes voilées, me dévisageaient, car elles ne me reconnaissaient pas ainsi vêtue. Elles m'avaient toujours vue avec mon accoutrement de sœur et croyaient que j'étais une nouvelle étudiante. La religieuse qui donnait la formation n'était pas contente de cette diversion et me regardait avec du feu dans les yeux. Cela ne m'a pas empêchée de passer mes examens avec une mention d'honneur, le 10 septembre 1961, et de devenir membre de l'Association des infirmières du Québec avec une note de 81 %. J'ai obtenu immédiatement mon premier emploi à la salle d'opération de l'Hôtel-Dieu de Montréal.

Mon arrivée dans le monde adulte a été difficile. Tout ce que je savais de la vie, c'était ce que la religion catholique et les bonnes sœurs m'avaient répété depuis quinze ans. Les femmes devaient continuellement être soumises aux hommes et cela me révoltait. Adolescente, je me souviens qu'on nous apprenait déjà le guide de la bonne épouse[4]. Parmi les règles à suivre, chacune d'entre nous désireuse un jour de fonder un foyer devait savoir préparer les repas pour rendre son mari heureux, toujours le laisser parler en premier pour ne pas lui déplaire, faire la vaisselle seule, l'encourager à se détendre et lui obéir lors des relations intimes. La femme devait inévitablement se lever la première le matin pour préparer le petit-déjeuner de son conjoint et le remercier d'aller travailler pour gagner le pain quotidien. Vous trouvez cela absurde ? C'est pourtant ce que j'ai appliqué à la lettre avec le seul homme que j'ai épousé. Mon mariage a été un fiasco, comme je vous l'ai déjà raconté. Une partie de mon échec était attribuable à mon innocence. Je croyais tout ce qu'on me disait sans me poser de questions, comme les religieuses me l'avaient enseigné. Elles m'ont inculqué une discipline de vie, mais ont oublié de me dire comment on peut parvenir à être heureuse dans un monde d'hommes.

---

4. « Le Guide de la bonne épouse », traduit de *Housekeeping monthly*, 13 mai 1955.

Mon éloignement de la spiritualité a été long et pénible. De 1961 jusqu'en 1981, je n'ai pratiqué aucune religion, rejetant tous les bonzes de l'Église et leurs préceptes moralisateurs. Ces vingt ans d'abstinence ne m'empêchaient pas de croire en Dieu, mais je ne suivais pas ses enseignements. Cela ne m'a pas été profitable. Avortements, divorce, manque de temps pour mes enfants, liberté sexuelle, tout y est passé. J'ai même flirté avec l'occultisme.

Une de mes collègues de travail était médium. Elle prétendait faire le lien entre le monde des vivants et celui des esprits. Curieuse, j'ai assisté à des séances de spiritisme avec des amis. Assis autour d'une table, nous implorions les morts. Certains d'entre nous étaient convaincus d'entendre des voix et des messages de l'au-delà. Même si je n'y croyais pas vraiment, ces soirées diaboliques, interdites dans la Bible, me tétanisaient. J'ai cessé d'y participer rapidement, jetant mon dévolu sur le tirage de cartes et la numérologie. Sans m'en rendre compte, je cherchais le contraire de ce que prônait le catholicisme. C'était une façon de me venger de la religion et de ce qu'elle ne m'avait pas donné.

Après avoir quitté mon mari en 1971, j'ai cherché à me faire justice en me servant des hommes comme moi-même j'avais été utilisée, c'est-à-dire comme un objet sans grande importance. J'ai décidé de séduire au lieu d'être appâtée, de devenir un prédateur plutôt qu'une pauvre victime. Lorsque j'avais des besoins sexuels, je me rendais le soir dans des bars enfumés. Dans un élan de volupté, j'examinais la marchandise, et je décidais avec qui je passerais la nuit. J'étais coquette et je dois admettre que mon style décontracté, en apparence, plaisait à beaucoup d'hommes, de différentes nationalités. Mes amants ont été nombreux, trop nombreux, la plupart mariés et en mal d'amour et de sexe. Je ne voulais pas me l'avouer à ce moment, mais je n'étais qu'un morceau de chair dont l'instabilité émotionnelle et les carences affectives étaient énormes.

J'avais été profondément blessée en amour, et il était important pour moi de rendre la pareille à de pauvres types qui n'y étaient pour rien. Mal dans ma tête de femme, je fonctionnais comme un homme, un macho, cherchant uniquement à assouvir mes désirs. J'ai eu quelques amants plus sérieux que les autres, mais ça n'a pas fonctionné. Je ne m'aimais pas. Comment vouliez-vous que j'aime les autres ?

J'aurais souhaité refaire ma vie et donner un beau-père à mes enfants, mais je n'ai jamais rencontré le grand amour, probablement parce que je le cherchais au mauvais endroit. Mon premier amant était un professeur de mathématiques d'origine juive sur qui j'aurais bien aimé compter. Nous nous sommes fréquentés pendant un an, mais il n'était pas prêt à multiplier les efforts et à abandonner ses habitudes de vieux garçon pour demeurer avec moi. J'ai dû me résoudre à me soustraire à lui.

Le second, un anesthésiste, me faisait beaucoup d'effet. Cela a duré deux ans. Nous travaillions ensemble et nous devions coucher à l'hôpital pour assurer la garde, ce qui lui permettait de me bercer souvent de ses belles paroles. Il me promettait de quitter sa femme et de venir vivre avec moi. Il ne l'a jamais fait. Je n'étais pour lui qu'un trophée de chasse, une maîtresse qui s'est un jour réveillée et l'a abandonné.

Le troisième était suisse, et sa façon d'être était remplie de trous, d'absences prolongées, car en tant qu'homme d'affaires il faisait continuellement la navette entre Montréal et l'Europe. La première fois que je l'ai rencontré, c'était lors des Jeux olympiques de 1976. J'aurais couru le marathon rien que pour lui, s'il me l'avait demandé. Après deux années de fréquentation, il m'a fallu cesser d'être en compétition avec sa femme, plus performante à ses yeux que moi.

Marc et Nadia connaissaient tous ces soupirants, que j'invitais à la maison les fins de semaine. Mes enfants ne faisaient jamais de remarques sur mes rapports avec ces hommes. Ils les subissaient sans doute et n'osaient pas me désapprouver, car ma vie amoureuse ne les regardait pas. J'ai honte de ce que j'ai fait, de toute cette mascarade. Ma fille n'avait pas encore atteint l'adolescence et me regardait agir comme une dépravée. Elle a par la suite reproduit ce modèle libertin en accumulant un nombre exagéré de relations amoureuses et sexuelles.

Marc, lui, n'a jamais fait de commentaires sur ma conduite, mais en voyant sa mère agir, il a probablement cru que toutes les femmes étaient semblables et ne méritaient pas de respect. Il me trouvait parfois folle avec mes idées abracadabrantes, comme cette soirée où j'ai invité des étudiants à la maison dans le cadre d'un cours de créativité donné à l'université. Nous devions lancer de la peinture sur les murs pour nous débarrasser de nos sentiments négatifs. Je leur avais offert d'utiliser une pièce, au sous-sol de la maison, pour qu'ils aient une entière liberté d'expression. Marc ne cessait de me répéter que les murs étaient affreux et que je ne pourrais jamais revendre la maison dans cet état. Il s'est trompé car j'ai malgré tout trouvé un acheteur, quelques années plus tard, qui ne s'est pas encombré de la pièce peinturlurée.

Je crois aujourd'hui, après mûre réflexion, que certains de mes agissements ont pu décolorer la vision que mon fils se faisait du monde. J'avais des comportements extrêmes. Il s'en est sûrement inspiré. Pour lui tout allait devenir noir ou blanc, bon ou mauvais, croyance ou défiance, homme ou femme. Il était toujours catégorique, aimait ou détestait, tout comme moi à une certaine époque difficile de ma vie, et ne trouvait aucun compromis aux oppositions. Il ne pouvait pas être heureux s'il était malheureux, réussir si certains, comme sa sœur, le considéraient déjà comme un perdant. Son geste dément l'a prouvé, il est passé d'un extrême à l'autre, sans même songer qu'il pouvait y avoir un juste milieu dans tout. Comme moi quand j'étais plus jeune, il s'était convaincu que personne de l'autre sexe ne pouvait l'aimer vraiment car il ne réussissait pas à s'aimer lui-même. Si j'avais su, je l'aurais pris dans mes bras et je lui aurais dit de ne pas s'en faire. L'amour, le vrai, surgit au moment où on s'y attend le moins.

En 1981, je me sentais seule malgré mes nombreuses conquêtes, emprisonnée dans le paraître plutôt que l'être. J'existais, mais je ne vivais pas. Je m'amusais beaucoup, mais rien de ce que je faisais ne me réjouissait vraiment. Je crois au destin et, cette année-là, il s'est passé quelque chose qui allait transformer ma vie.

Depuis sept ans, je fréquentais occasionnellement un homme avec qui je partageais des moments d'intimité. Il était beau, plus jeune que moi, et son éclat venait beaucoup plus de son cœur que de son physique. Il m'a annoncé qu'il quittait son travail et le Québec pour aller étudier la Bible en Suisse. Je savais qu'il était issu d'un milieu chrétien, mais il s'était éloigné de sa foi pendant plusieurs années. Quelques mois plus tard, il a invité mon fils et un de ses copains à aller le rejoindre durant les vacances estivales. Ils pourraient participer au camp Jeunesse Action biblique, organisé par l'Église évangélique, et profiter de l'air pur de la montagne, dans la région de Lauterbrunnen, où se nichent des vallées alpines et d'impressionnants hauts sommets. Mon fils de quatorze ans et son copain étaient intéressés par l'aventure et ils ont accepté de participer à ce camp. Pour ma part, je croyais effectivement que cela ferait du bien à Marc, qui n'avait jamais eu d'enseignement religieux.

Marc ne m'a jamais reparlé de son séjour d'un mois en territoire helvétique. On m'a rapporté que lui et son copain avaient été turbulents. Une chose est certaine, cela ne l'a pas rapproché de Dieu, car mon fils s'est qualifié d'athée jusqu'à sa mort.

En revenant au Québec, Marc a donc continué à vivre sans croire. Pour ma part, j'allais connaître une nouvelle expérience salutaire. À son retour de Suisse, mon copain nous a invités, mes enfants et moi, à une croisade d'évangélisation à Longueuil. Je n'avais jamais entendu parler de ces grands rassemblements et c'est par curiosité, mais aussi pour le remercier d'avoir payé un voyage à mon fils, que je m'y suis rendue avec Marc et Nadia.

Des centaines de personnes écoutaient un prédicateur prêcher la parole de Dieu au micro. Il parlait de Jésus d'une façon inhabituelle pour moi :

— « Car Dieu a tellement aimé le monde qu'il a donné son Fils unique, afin que quiconque croit en lui ne périsse point, mais qu'il ait la vie éternelle[5] ! »

Je ne comprenais pas le sens de tout ce qu'il professait, mais ses paroles me réconfortaient et me donnaient la sensation d'être dans un monde meilleur.

— Si vous voulez en connaître plus sur Jésus-Christ, approchez-vous et nous allons prier pour vous !

Je voulais connaître Jésus et je me suis avancée lentement vers le prédicateur, fascinée par cet élan d'amour

---

5. La Bible, Jean 3 : 16.

et de joie qui animait toute l'assemblée. J'ai écouté tout ce qu'il avait à me dire. À la fin de l'assemblée, j'ai rencontré un conseiller. Il m'a suggéré de lire deux chapitres de la Bible chaque jour pour connaître la personne de Jésus. C'est ce que je n'ai jamais cessé de faire depuis le 23 novembre 1981. J'ai compris, à partir de ce moment, que le Seigneur était encore vivant et qu'il allait m'aider. Je me suis mise à fréquenter une Église évangélique, ce qui m'a permis de recevoir un enseignement nouveau.

Je ne crois plus aux rituels religieux. Depuis ce jour, je tente seulement d'approfondir la parole de Dieu et la connaissance de Jésus-Christ et cela m'a apporté la paix. J'ai compris que ce que j'apprenais devait être mis en pratique dans ma vie de tous les jours, en ayant une meilleure attitude envers les autres, en étant généreuse, remplie de compassion et d'amour.

Tous les jours, nous rencontrons des êtres humains qui peuvent transformer notre existence de différentes manières. Je ne savais pas qu'un homme viendrait guider mes pas et me sortir du pétrin en me faisant redécouvrir la foi, mais j'avais la certitude que, même pénible et injuste, la vie ne pourrait qu'être bonne à mon endroit car Dieu prenait soin de moi.

Je n'ai pas revu mon copain depuis de nombreuses années. Il a choisi un chemin différent du mien. Je lui serai toujours reconnaissante pour ce qu'il a fait pour moi. Il ne l'a jamais su, mais en cette journée d'automne de 1981, ma vie a pris une nouvelle direction.

J'étais alors loin d'imaginer ce que l'avenir me réservait. Marc allait me faire subir la pire épreuve, quelques années plus tard, en 1989. Puis Nadia se suiciderait à son tour. Si je ne m'étais pas préparée à croire en Dieu et à mettre toute ma confiance en lui, je n'aurais probablement pas pu survivre. Le temps et l'espérance étaient mes alliés. Mon mari et mes deux enfants m'ont abandonnée. Dieu ne le fera jamais!

À l'aube de l'an 2000, le monde entier était en effervescence. Certains craignaient de perdre leur argent, engrangé dans les banques, à la suite d'un dérèglement des systèmes informatiques. D'autres hésitaient à prendre l'avion le premier de l'an, épouvantés par un possible écrasement. J'avais des problèmes plus terre à terre. Je tentais toujours de m'en sortir et je priais sans relâche pour la paix de mon âme. Je ne recevais aucun signe qui me permettrait de croire que mon calvaire allait se terminer un jour ou l'autre et je me sentais à nouveau dépérir.

Un dimanche matin, je me suis péniblement levée, assommée par une nuit d'insomnie. Je culpabilisais encore en réfléchissant à mon passé trouble et à la mort de Marc et à celle de Nadia. Pour la première fois, je me sentais obligée de me rendre à l'église, un des rares endroits où j'étais à l'aise habituellement. Je n'ai pas déjeuné. Je n'avais pas faim ni soif mais la désagréable sensation d'avoir un trou béant dans le ventre. J'ai eu de la difficulté à choisir mes vêtements ; je me suis regardée dans la glace de la salle de bains et je ne me suis pas trouvée belle. J'ai utilisé ma voiture, mais je n'ai aucun souvenir d'avoir parcouru les quelques kilomètres nécessaires pour me rendre à l'édifice où se réunissaient mes amis chrétiens. Durant la nuit, je m'étais vue en train de mourir et cette image bouleversante occupait toutes mes pensées.

J'étais pâlotte lorsque je suis arrivée à l'église. J'ai croisé sur mon passage des enfants endimanchés et leurs parents souriants. Je les connaissais bien, mais je ne me suis pas arrêtée comme à l'accoutumée pour les saluer et je me suis dirigée directement vers mon banc. Les murs semblaient bouger autour de moi et le plancher trembler sous mes pas. La sueur perlait sur mon front. J'avais de la difficulté à respirer. Je me suis assise pour ne pas m'effondrer. J'ai fermé les yeux et baissé la tête en attendant le début de la cérémonie. J'entendais des murmures.

Le pasteur s'est mis à parler. Extirpée de ma torpeur, j'ai tenté de redresser la tête mais je n'en étais pas capable. Paralysée, paniquée, j'ai baragouiné à ma voisine que je devais absolument m'appuyer sur son épaule. Je me sentais réellement mourir de chagrin. La vie semblait quitter lentement mon corps épuisé. J'étais prête à mourir.

— Si je tombe par terre, ne me réanimez pas, ai-je murmuré à la dame assise à côté de moi.

Elle n'a pas répondu. Inquiète, elle n'osait plus bouger. Je suis demeurée ainsi quelques minutes. Cela m'a paru une éternité. Puis, tout à coup, j'ai ressenti une vive et intense douleur à l'abdomen. Mon cœur s'est mis à battre très rapidement, de façon inhabituelle, comme s'il voulait sortir de ma cage thoracique. J'ai pensé que j'étais victime d'une crise cardiaque. Je suis convaincue que le Seigneur m'a alors parlé.

— Qui fait battre ton cœur ? a-t-il demandé.

— C'est toi, Seigneur, ai-je répondu dans ma tête.

Je sentais que je devais faire le choix de vivre ou de mourir.

— Très bien, Seigneur. J'accepte de continuer à vivre, mais je veux le faire pour te servir !

Mon cœur s'est alors remis à battre normalement. Étourdie, j'ai relevé lentement la tête, à la grande surprise de ma voisine, qui s'apprêtait à demander de l'aide. J'ai regardé dans toutes les directions : tout était bien réel. Pour la première fois depuis la mort de mes enfants, je me sentais enfin apaisée. Quand je suis sortie, à la fin de la réunion, il me semblait être délivrée du carcan qui m'emprisonnait depuis plusieurs années. J'étais légère comme une plume et une chaleur intense réchauffait tout mon être.

Je ne sais pas comment expliquer cet événement. Vous pouvez penser que tout ce qui s'est produit cette journée-là est le fruit de mon imagination. Vous avez le droit de le croire. Je suis pour ma part convaincue que mes prières ont été entendues. Je n'ai jamais été en faveur du prêchi-prêcha et du fanatisme religieux. Je suis croyante et pratiquante, tout simplement, et je n'ai pas honte de dire que cet événement, ce signe inexplicable, m'a donné un second souffle. À partir de ce moment, mon existence s'est mise à avoir un nouveau sens et a changé progressivement. Je voulais véritablement vivre !

Depuis la mort de mon fils, je me repliais toujours sur moi-même. Je travaillais, priais, mais ne partageais pas mon expérience de mère affligée avec les autres car la honte me suivait toujours. Désormais à la retraite, après une carrière de quarante ans dans le domaine hospitalier, je désirais encore être utile à la société. À la nouvelle Église évangélique, que je fréquentais depuis peu à Longueuil, une seule femme, responsable des activités et ex-cocaïnomane comme ma fille, savait qui j'étais vraiment et avait promis de n'en parler à personne. Elle concevait facilement que j'avais beaucoup trop de blessures émotionnelles et que je ne pouvais jouer les psychologues pour les personnes pauvres et démunies que l'organisme Action Nouvelle Vie aidait. Elle m'a suggéré de travailler, incognito, à la banque alimentaire, ce que je n'ai pu refuser. Tous les mardis et jeudis, mon rôle consistait à rencontrer des familles nécessiteuses et évaluer leurs besoins. Pour moi, c'était un jeu d'enfant, étant donné ma vaste expérience dans le réseau de la santé.

Parmi les premiers à venir me rencontrer, un homme et une femme dans la trentaine se sont avancés vers moi, têtes baissées, embarrassés d'être devenus bien malgré eux des quémandeurs. Le mari, les cheveux en broussaille et la barbe longue, avait perdu son emploi de manœuvre et épuisé ses maigres allocations de chômage. Son épouse, timide, se tenait derrière lui en jouant nerveusement avec les boutons de son vieux manteau. Elle était toujours restée à la maison pour élever ses enfants et se tourmentait. Comment pourrait-elle désormais réussir à nourrir cinq bouches, habiller les bambins, payer le loyer et acheter les fournitures scolaires avec le maigre chèque de l'aide sociale ? Je devinais facilement son malaise, car moi aussi j'avais déjà éprouvé le même effarement quand je m'étais retrouvée seule avec Marc et Nadia. Je les ai rassurés ; on leur fournirait régulièrement un panier de provision pour les aider à s'en sortir. Ils ont quitté mon bureau en ne cessant de me remercier. On aurait dit que je leur avais donné la lune. Ce contact avec la misère humaine, cette impression rassurante d'aider les autres, m'a fait beaucoup de bien. J'avais trouvé ma voie en donnant gratuitement mon temps et mon écoute aux indigents, sans porter aucun jugement sur eux. Être jugée et condamnée maintes fois par l'opinion publique m'avait fait très mal. Il n'était pas question d'agir à mon tour de cette façon.

Petit à petit, on m'a demandé de m'occuper des femmes défavorisées dont plusieurs étaient enceintes. Je devais consacrer une bonne partie de mon énergie à celles ayant accouché depuis quelques jours seulement. Ma préoccupation première était de trouver du lait, des couches, et des vêtements pour les bébés. Certaines de ces mamans étaient des adolescentes laissées à elles-mêmes, rejetées par leur famille et abandonnées par leur petit ami.

À l'occasion, il m'est arrivé de leur rendre visite à l'hôpital pour les réconforter, leur donner un peu d'affection, et surtout leur dire qu'elles pouvaient compter sur moi. Je ne les abandonnerais pas. Certaines étaient passées par les centres jeunesse, victimes d'agressions et de négligence et n'avaient jamais pu faire confiance aux adultes. Reconstruire leur système de valeurs et les amener à devenir de bonnes mères représentait une tâche colossale. Elles me regardaient quelquefois en me demandant pourquoi je faisais tout cela sans rien attendre en retour. J'évitais de répondre. J'avais reçu la consolation de Dieu gratuitement, je devais à mon tour leur venir en aide. En donnant un coup de main à ces mamans, j'avais la conviction de protéger leurs enfants tout en leur permettant de recevoir de la chaleur, de la tendresse, de l'amour, de l'attachement, qui avaient cruellement fait défaut à Marc et Nadia.

J'espérais poursuivre cette œuvre de bienfaisance dans l'anonymat pendant encore plusieurs années. Je craignais d'être exposée à l'opprobre de ces pauvres gens quand ils découvriraient qui j'étais vraiment.

Quelques mois s'étaient écoulés depuis mon arrivée à la banque alimentaire. J'oubliais de plus en plus mes problèmes en me donnant corps et âme à ma nouvelle mission. Un sentiment d'accomplissement m'envahissait, car ma vie n'avait plus la même signification depuis que j'aidais mon prochain. Plus personne ne me demandait ce qui me motivait à investir autant pour secourir les autres, car, après tout, dans ce milieu fraternel je ne faisais que mettre en pratique ce que je lisais quotidiennement dans la Bible.

Je me doutais bien qu'un jour ou l'autre, je devrais sortir de l'ombre, révéler mon passé à mes semblables, mais cela ne pressait pas. Un soir, en 2002, je participai, avec une soixantaine de femmes, à une conférence sur la gestion et la guérison des émotions.

Le grand local de l'église ressemblait à une salle universitaire avec ses bureaux et ses chaises disposés en rond autour d'une petite femme énergique et élégante.

Stéphanie Reader, une jeune mère de famille, ressemblait à une collégienne avec ses pommettes rouges, ses longs cheveux dorés attachés par une barrette, et un sourire accroché aux lèvres. Cela contrastait avec le sérieux de ses propos. Elle se promenait de long en large devant le groupe en parlant avec assurance de la peur. Mais tout à coup, sans que son auditoire s'y attende, son ton est devenu triste. Elle a cessé de lire les notes placées devant elle et s'est mise à raconter ce qui s'est produit le jour où elle a eu le plus peur.

— C'était le 6 décembre 1989. Étudiante au doctorat en sciences de l'environnement, je terminais ce soir-là une expérience dans un laboratoire de l'Université du Québec à Montréal, situé au centre-ville. La musique crachée par la vieille radio, installée au fond du local, a été interrompue par un bulletin spécial d'information. On annonçait que des tueurs avaient assassiné plusieurs étudiantes à l'École polytechnique. J'étais terrifiée, d'autant plus qu'au même moment, un gardien de sécurité est entré dans le laboratoire pour me dire que je ne pouvais pas quitter les lieux, car la police craignait que d'autres détraqués s'apprêtent à commettre des meurtres dans mon université. J'ai alors ressenti une immense peur m'envahir.

Les propos de Stéphanie ont remué en moi de tristes souvenirs. Je pensais à Marc. J'essayais de camoufler ma peine, mais je n'y parvenais pas. Quelques années plus tard, nous avons reparlé de cette soirée, Stéphanie et moi.

— Alors que toutes les femmes étaient très attentives à mes propos, s'est rappelé Stéphanie, je me suis aperçue que tu étais désemparée. Cela m'intriguait car je ne t'avais jamais rencontrée auparavant. J'ai terminé mon récit en répétant plusieurs fois que la fusillade survenue dans cette école d'ingénierie m'avait beaucoup affectée, puis j'ai conclu en remerciant toutes les participantes et en leur souhaitant une bonne fin de soirée.

— C'est alors que je me suis avancée vers toi, Stéphanie, en sanglotant. J'avais de la difficulté à m'exprimer tant ton témoignage était venu me chercher!

— Je me souviens. Tu m'as déclaré, tant attristée : je suis Monique Lépine, la mère de Marc Lépine. Ta confession m'a sciée. Je ne savais plus quoi dire. Comment aurais-je pu m'imaginer faire un jour ta rencontre? Je n'ai presque pas dormi pendant quatre jours tant j'étais troublée et désolée de t'avoir fait de la peine.

Je ne crois pas au hasard. Je devais rencontrer cette jeune femme débordante d'énergie. Je tentais toujours de survivre avec mes émotions et mes nerfs à fleur de peau. Elle deviendrait avec le temps une amie précieuse.

— Personne d'autre que toi, Monique, ne pouvait comprendre la détresse humaine, la honte, la culpabilité, le désespoir, la peur. Tu n'avais pas besoin de te faire raconter ce que c'était. Tu devais prendre ma place et le dire tout haut pour aider les autres.

— C'est ainsi que, dans les mois qui ont suivi notre première rencontre, j'ai acquiescé à ta demande et à celle de la femme du pasteur de l'église. J'allais pour la première fois dévoiler mon identité et raconter mon histoire à un petit groupe de femmes. J'ai failli reculer, car j'avais toujours la crainte d'être mésestimée et surtout jugée. Une appréhension maladive s'est emparée de moi plusieurs heures avant mon premier témoignage, mais j'avais promis de le faire, alors je l'ai fait. En fin de compte, c'est la seule raison qui m'a obligée à me présenter devant l'assistance. Je respecte toujours mes engagements.

— Quand tu t'es mise à parler, fière mais hésitante, raconte Stéphanie Reader, on aurait pu entendre une mouche voler. L'assemblée était suspendue à tes lèvres et buvait littéralement tes paroles. Comment avais-tu pu survivre à la mort de tes deux enfants et à toute cette folie médiatique qui entourait encore le drame de l'École polytechnique ? Étais-tu si différente des autres parents endeuillés ? Avais-tu une recette magique ? Ce sont les questions que tout le monde se posait. À la fin de ta présentation, toutes les femmes se sont levées pour t'applaudir à tout rompre. Certaines pleuraient, d'autres souriaient en t'acclamant.

J'étais estomaquée par leur réaction et gênée. Je ne leur avais pourtant rien offert de grandiose pendant mon court témoignage, simplement toute la douleur que j'avais vécue à la suite de la mort de Marc et de Nadia, et la honte qui m'habitait sans cesse, treize ans déjà après la tuerie de l'École polytechnique.

Je me rendais à l'évidence : ma vie s'apparentait à celle de ces femmes, mères de familles, grands-mères, qui m'avaient prêté une oreille attentive pendant quelques minutes. De différentes façons, elles me ressemblaient dans la souffrance et avaient, à un moment ou à un autre, toutes vécu la perte d'un être cher, la honte, le regret, la culpabilité, ou la peur. Elles se reconnaissaient en moi. On n'a pas besoin d'être la mère d'un tueur pour ressentir la douleur infernale et la détresse psychologique. La vie nous réserve à tout moment d'agréables surprises, mais peut aussi nous frapper de plein fouet jusqu'à vouloir nous tuer. Il ne faut pas se laisser mourir, car les épreuves peuvent transformer positivement l'existence. C'est ce que j'avais encore envie de crier aux plus désespérés.

Quelques semaines plus tard, mon pasteur, Claude Houde, m'a demandé de m'adresser à la grande assemblée de deux mille membres de mon Église. J'avais la trouille rien qu'à y penser. Puis, je me suis raisonnée en me disant que je ne m'adresserais pas à deux mille personnes mais bien à chacune d'entre elles, individuellement. Pour certaines, je serais un objet de curiosité, car la mère de Marc Lépine demeurait jusqu'ici très discrète. Pour d'autres, je représenterais surtout une lueur d'espoir, la preuve vivante que nous pouvons tous surmonter les pires obstacles.

Étrangement, plus le temps passait, moins j'étais inquiète à l'idée de partager publiquement mon vécu et de me mettre à nu devant cette foule. J'allais crever l'abcès. Le pasteur m'a présentée et je me suis avancée lentement vers l'estrade. Mes lèvres étaient lourdes et sèches. J'ai balayé du regard les quelques notes, griffonnées la veille sur un bout de papier chiffonné, afin de me donner de l'assurance, et je me suis mise à parler.

— Bonjour! C'était le 6 décembre 1989. J'écoutais les informations télévisées lorsque j'ai appris qu'un drame terrible venait de se produire à l'École polytechnique…

Interviewée par le pasteur, je réussissais enfin à réciter mon histoire en me détachant de mes émotions. J'ai témoigné de la redécouverte de ma foi et de mon désir d'aider mes semblables. J'ai terminé mon exposé en proclamant mon nom avec audace.

— Je suis Monique Lépine. Je suis la mère de Marc Lépine!

On m'a fait une ovation. Il y avait longtemps que je n'avais pas été si fière de mon nom. Ce soir-là, le 8 décembre 2002, treize ans presque jour pour jour après la tuerie de l'École polytechnique, j'ai reçu une nouvelle identité et j'ai été libérée de la honte et de la culpabilité.

— Madame Lépine, pouvez-vous m'aider?

La femme qui venait de prononcer avec insistance mon nom devait avoir moins de trente ans. Décoiffée, mal habillée, les yeux cernés, décharnée, elle jouait nerveusement avec son porte-clés en m'expliquant sa situation. Mère de cinq enfants, âgés de deux à treize ans, elle venait de mettre en terre son mari, décédé d'une maladie foudroyante. Je trouvais son récit pire que le mien.

Son époux n'avait jamais travaillé et toujours vécu de l'aide sociale. Il passait son temps à regarder de la pornographie sur son ordinateur et avait agressé sexuellement trois de ses enfants. Elle n'avait aucune autorité sur eux. Le plus vieux de ses garçons faisait ce qu'il voulait et l'envoyait paître. Il la frappait à l'occasion. Elle me montrait les résultats en tremblant: des ecchymoses sur ses bras et ses jambes.

Véritable moulin à paroles, elle avait de la difficulté à reprendre son souffle après chaque phrase. Je l'ai écoutée sans l'interrompre. Elle avait rapidement besoin d'assistance. Je lui ai d'abord fait parvenir de la nourriture de la banque alimentaire, puis, avec quelques-unes des femmes de l'Église, nous sommes allées chez elle faire la cuisine, dans son logement sens dessus dessous et crasseux. Je me suis aperçue qu'elle souffrait d'anorexie et ne préparait jamais de plats à ses enfants. Elle faisait de l'insomnie et pouvait dormir sur le divan du salon le jour quand les plus petits avaient pourtant besoin d'elle. Jamais elle ne couchait dans sa chambre. Malgré le décès de son conjoint, le lit conjugal lui inspirait encore du dégoût. Il l'avait agressée sauvagement dans cette pièce.

Elle n'avait pas d'automobile et, à plusieurs reprises, je l'ai accompagnée chez le médecin et la travailleuse sociale. Pour l'extirper du quotidien, je lui ai demandé ce qui lui ferait le plus plaisir au monde. Elle m'a répondu : la Ronde. Nous avons toutes les deux fait la tournée des manèges durant une journée complète. Nous avions l'air de gamines, le contour de la bouche et les doigts sucrés par notre barbe à papa, tout en regardant la grande roue faire des pirouettes dans le ciel.

Cette femme n'avait pas suffisamment vieilli pour être tenue responsable de ses actes. Un jour, une personne de son entourage l'a dénoncée à la Direction de la protection de la jeunesse. N'ayant aucune maîtrise sur ses besoins charnels, elle butinait à gauche et à droite et avait dû se faire avorter. Laissés à eux-mêmes, le jour comme la nuit, ses enfants ont été placés en familles d'accueil.

Cette expérience m'a bouleversée. Mes préoccupations personnelles avaient beaucoup moins d'importance : il y avait des êtres humains en plus mauvaise posture que moi. Je devais tout faire pour les secourir. Même si je n'avais pas réussi avec cette jeune femme, à qui revenait finalement la décision de se prendre en main ou non, d'autres importants défis se présentaient à moi.

Avec Stéphanie Reader, je faisais désormais partie d'un groupe de soutien aux femmes. La plupart étaient attirées vers moi à cause de mon passé. Elles se disaient qu'elles n'avaient rien à craindre. Je leur donnais de l'espoir car j'avais vécu d'abominables expériences.

C'est le cas d'une autre femme, M., qui était désemparée à la suite du décès de son mari. Ne sachant pas quoi faire pour l'aider, une travailleuse du CLSC m'avait téléphoné et demandé de la rencontrer. Elle était là, devant moi, pleurant et relevant ses cheveux noirs pour essuyer ses larmes. Ensemble, nous avons parlé de la mort, des étapes du deuil et du temps qu'il fallait s'accorder pour passer au travers. Cette immigrante avait toujours vécu en fonction de son époux. Elle lui était toute dévouée et ne pouvait même pas me dire ce qu'elle préférait dans la vie, car elle avait été constamment soumise à ses choix à lui. Il contrôlait son existence et elle acceptait de jouer le jeu. Elle ne savait même pas comment signer un chèque et ne s'était jamais rendue seule au magasin. Elle ne se souvenait pas de s'être acheté un vêtement sans que son conjoint l'accompagne.

Je lui ai redonné confiance en elle. Pendant dix semaines, nous nous sommes rencontrées à quelques reprises pour discuter de tout ce que je savais sur la détresse. Heureusement, elle avait des enfants qui l'aimaient beaucoup. Je ne l'ai pas revue. Elle est peut-être grand-maman aujourd'hui et aussi souriante que la dernière fois où l'on s'est dit au revoir.

J'ai aussi eu le privilège de rencontrer E. Elle est venue assister à l'une de mes conférences à l'église. Originaire du Chili, elle avait fui le régime de Pinochet, dans les années soixante-dix, pour s'établir dans la métropole. Elle avait toujours rêvé de justice et de liberté. Son idéal est disparu lorsque son fils a été arrêté et condamné à perpétuité pour un crime très grave. Elle avait accouché d'un meurtrier et cette pensée la couvrait de honte. La culpabilité la paralysait, comme ce fut le cas pour moi. Elle m'a rendu visite à plusieurs reprises et nous avons parlé de nos enfants.

Je lui ai expliqué les étapes du deuil. Son fils existait toujours, derrière les murs de sa prison, mais il la faisait périr de peine chaque jour. Je savais qu'elle pouvait s'en sortir, comme je l'ai fait. Prendre conscience à quel point nous mourons un peu plus chaque minute, chaque heure, nous incite à mieux respirer et à nous battre pour survivre. Tous les instants nous rapprochent de la fin. Personne ne sait quand cela va survenir ni comment cela va se passer. Il ne faut pas que nous nous laissions emporter par le chagrin et nous éteindre pendant que nous sommes vivants. Mes paroles lui ont insufflé une nouvelle espérance. E. portera toujours le boulet de son fils, mais notre relation a fait tomber les barreaux qui l'empêchaient de s'évader de ses sentiments de mère coupable de tout. Nous nous revoyons de temps en temps quand la douleur trop vive l'emprisonne à nouveau.

Les tourments feront toujours partie de la destinée de nombreux êtres humains, comme ce jeune homme qui a anéanti une partie de sa famille. Je terminais un témoignage devant un groupe de participants de l'Église, âgés de dix-huit à trente ans, lorsque j'ai lancé une boutade.

— Si vous n'avez plus votre maman et cherchez une mère spirituelle, je suis disponible !

Plusieurs des participants sont venus me serrer la main, dont ce joli garçon, dans la vingtaine, qui avait un petit air sérieux.

— J'ai besoin d'une maman spirituelle car je n'ai plus la mienne !

J'ai été surprise, mais j'ai accepté. Il m'a invitée au restaurant pour la fête des Mères et m'a offert une magnifique gerbe de fleurs. Il cherchait une oreille attentive pour se libérer de ses regrets.

— Vous voulez savoir pourquoi je n'ai plus de mère? Je l'ai assassinée sur le coup de la colère lorsque j'étais adolescent! J'ai fait la même chose avec mon père. On vient à peine de me libérer.

Tout ce qui m'est venu à l'esprit, encore une fois, c'est que Marc aurait pu faire la même chose. Je suis certaine que cette pensée trottait aussi dans la tête de ce jeune homme. Il n'a pas osé m'en parler, j'imagine par politesse, tout comme je ne lui ai pas posé de questions sur les véritables raisons de son acte. Il n'en connaissait peut-être pas encore toutes les réponses. Il m'a prise dans ses bras et m'a serrée très fort.

— Merci, maman spirituelle!

Je l'ai revu à quelques reprises, jusqu'au jour où il m'a appris qu'il ne reviendrait plus à l'église. Il est peut-être, en ce moment, à la recherche d'une autre mère. Elle ne pourra jamais remplacer la sienne, malheureusement.

S. a également ressenti un vide considérable lorsque sa mère est décédée d'une maladie, il y a quelques années. Même si elle avait plus de quarante ans, elle avait toujours besoin de sa présence maternelle et ne pouvait accepter son départ précipité. Elle trouvait que je lui ressemblais beaucoup et m'a suggéré de la remplacer pour la fête des Mères. Quand elle m'a offert un bouquet de fleurs et m'a souhaité bonne fête, j'ai songé à ce qu'aurait pu être cette célébration annuelle avec Nadia et Marc. J'aime S. Je la croise souvent et elle m'appelle toujours maman, mais elle ne pourra jamais être ma véritable fille. La mienne s'est enlevé la vie.

La dernière fois que j'ai célébré la fête des Mères, avant la mort de Nadia, c'était au mois de mai 1990. Elle était venue avec moi déposer des fleurs sur la tombe de son frère, au cimetière Notre-Dame-des-Neiges, juste derrière l'École polytechnique. Nous étions restées sur place seulement quelques minutes, le temps de nous recueillir. Mon fils ne m'avait jamais autant manqué.

Mon fils a probablement cru qu'en faisant le mal, le 6 décembre 1989, il allait réussir à anesthésier le sien. Je pensais encore à lui, comme je le fais chaque jour, lorsque je me suis assise dans mon salon en cet après-midi du 13 septembre 2006. La journée était magnifique et, malgré quelques feuilles colorées dans les arbres, l'été refusait de laisser sa place à l'automne. Le soleil brillait de toutes ses forces en passant à travers les fenêtres de mon appartement et venait se refléter dans mon téléviseur. En allumant celui-ci, j'ai tout de même pu facilement distinguer, au premier regard, les silhouettes d'adolescents et de policiers qui couraient dans la rue en hurlant. J'ai fermé les stores pour mieux voir, et augmenté le volume de mon appareil pour entendre ce que disaient les journalistes qui se succédaient en rafales à l'écran.

Il y avait une fusillade au collège Dawson de Montréal. Un tireur fou venait de se suicider avec une de ses armes et l'équipe tactique d'intervention de la police traînait son corps à l'extérieur du campus. L'hélicoptère de la télévision captait la scène en direct alors que des caméramans au sol nous montraient de nombreux élèves blessés et les sauveteurs en pleine action.

Mon cœur s'est mis à battre rapidement et la sueur à couler dans mon dos. J'avais mal en dedans, comme lorsque j'ai appris que mon fils avait assassiné quatorze jeunes femmes et blessé une dizaine d'autres personnes, en 1989. Autant j'avais prié pour la mère du tueur de la Polytechnique, en ne sachant pas au début que c'était moi, autant je demandais maintenant à Dieu de venir en aide à la mère du meurtrier du collège Dawson. À son tour, elle allait vivre les affres de la tragédie. Elle ne savait peut-être pas encore ce que son fils venait de faire. Des policiers allaient probablement lui rendre visite durant les prochaines heures et lui annoncer la mauvaise nouvelle. Des journalistes obtiendraient son adresse et la pourchasseraient sans relâche pour obtenir une entrevue. En état de choc, elle n'aurait d'autre choix que de se terrer dans sa maison, pour se protéger et sauvegarder ce qui lui restait de sa famille.

Inévitablement, certains tiendraient des propos médisants pour achever cette mère de famille déjà à genoux. Je souhaitais que son époux soit encore à ses côtés pour supporter cette épreuve avec elle. Je ne pouvais rien faire de plus, sinon prier ou encore témoigner publiquement pour que la population comprenne véritablement ce qui se passe dans le cœur d'une mère quand elle apprend que son fils est un tueur.

Depuis plus de deux ans, un journaliste m'écrivait quelquefois pour me demander de raconter mon histoire à la télévision. Il m'avait fait parvenir des courriels par l'entremise de certains de mes amis qu'il connaissait. Malgré mes refus, il demeurait courtois et ne se faisait jamais insistant. Quelques minutes plus tôt, en voyant lui aussi les images de cette nouvelle tragédie, il venait encore une fois de me faire parvenir un court message. Il me demandait ce que je pensais du drame et ce qu'il était possible de faire pour ne pas que cela se reproduise. Ma crainte vis-à-vis les médias ne s'était pas estompée, mais quelque chose me disait que c'était le temps ou jamais de faire quelque chose.

J'étais convaincue qu'en témoignant de mon expérience de mère affligée, j'allais aider la population à comprendre que les parents ne sont pas totalement responsables des actes de leurs enfants et qu'il est possible pour ceux et celles qui vivent des drames épouvantables de s'en sortir. Il faut cependant y mettre le temps nécessaire et croire que la vie peut continuer différemment.

En septembre 2006, après dix-sept années de silence, j'amorçais ce qui me semblait être la fin d'une longue thérapie. J'étais prête à affronter le regard de ceux et celles qui parlaient contre moi. Cela ne me dérangeait plus qu'ils me reconnaissent dans la rue après m'avoir vue à la télévision. J'assumais qui j'étais. Mais ce n'est pas à eux que je pensais d'abord et avant tout. Je voulais apporter un peu de réconfort à la mère du tueur, dont le nom était maintenant connu : Kimveer Gill, mais aussi aux parents d'Anastasia De Sousa, âgée de dix-huit ans, étudiante du collège Dawson et assassinée par le tireur fou.

Je dois vous avouer que j'avais aussi un autre but. Avant de mourir, je voulais absolument demander pardon aux parents et amis des quatorze étudiantes assassinées à l'École polytechnique de Montréal en 1989, car jamais je n'avais eu l'occasion de le faire publiquement auparavant.

Le lendemain de la tragédie du collège Dawson, je me suis rendue dans un studio du réseau TVA à Montréal, accompagnée d'une de mes meilleures amies, Stéphanie

Reader. Après les courtes présentations d'usage, on m'a conduite à la salle de maquillage où j'ai eu, pendant une dizaine de minutes, le temps de me redire plusieurs fois que tout irait bien malgré ma nervosité. Je m'attendais à voir une imposante équipe technique, mais il n'y avait que quelques personnes ravies de me saluer. Le décor était sobre, avec un rideau noir et deux chaises. Il laissait toute la place à la discussion.

— Attention! Dans quatre, trois, deux…

Ça y était. Je ne pouvais plus reculer. Une technicienne de studio venait de lancer le signal. Deux caméras étaient braquées sur moi. Le journaliste me regardait droit dans les yeux et a lancé la discussion. J'ai pu finalement prononcer ces paroles que j'avais répétées des milliers de fois dans ma tête.

— Je demande pardon aux familles des victimes. Mon fils a commis un geste horrible!

Cela a été très libérateur. J'acceptais de parler à visage découvert pour que l'auditoire capte bien mes sentiments profonds, ceux d'une mère repentante, et sache que je n'utilisais pas de mots futiles pour effacer le passé.

Je n'aurais jamais cru qu'un jour je pourrais m'adresser en même temps à six cent mille téléspectateurs. J'avais choisi l'anonymat pendant longtemps, de peur de provoquer les familles des victimes, d'être reconnue et jugée sur la place publique. Je voyais souvent, lors des nouvelles télévisées, des familles de victimes placées sous les projecteurs et mitraillées de questions par une meute de journalistes. Comment faisaient-elles pour gérer leurs émotions? Je m'étais dit que jamais je ne parlerais. Il n'était pas question qu'on profite de moi et qu'on m'exhibe comme un animal de cirque. De toute façon, mes propos ne pourraient jamais réparer le passé.

Et puis, après de nombreuses années, ma vision s'est modifiée grâce à ma guérison intérieure. Je crois maintenant que les témoignages peuvent apporter un réconfort à ceux et à celles qui vivent des drames épouvantables. C'est une manière de leur annoncer qu'on ne les abandonnera pas, qu'ils ne sont plus seuls au monde car d'autres avant eux ont souffert et ont réussi à survivre.

Il faut témoigner sans contrainte et choisir à qui l'on parle. Nous ne sommes pas amis avec tout le monde. C'est la même chose avec les journalistes. Il faut aussi croire que le pardon peut être salutaire et laisser parler son cœur.

Durant cette émission trop courte, d'une vingtaine de minutes, j'ai raconté une partie de tout ce que vous savez maintenant: ma peine, ma souffrance, mon regret, ma résilience. Le journaliste, Harold Gagné, m'a demandé si j'aimerais rencontrer les familles des victimes de l'École polytechnique. Ma réponse a été spontanée et positive. Je n'avais jamais cessé de prier pour elles. Je ne savais pas que certaines d'entre elles faisaient la même chose pour moi.

Le lendemain de la diffusion de cette émission, les parents d'Anne-Marie Lemay, l'une des quatorze victimes, morte après avoir reçu plusieurs projectiles tirés par mon fils, déclaraient à la télévision qu'ils souhaitaient aussi me connaître.

— La première chose que je ferais si je voyais Mme Lépine, disait Michelle, la mère d'Anne-Marie, ce serait de la prendre dans mes bras!

C'est ce qui s'est passé quelques jours plus tard. Nous nous sommes donné rendez-vous loin des caméras, et nous sommes étreints lors d'une rencontre dans un restaurant de Longueuil. J'étais craintive parce que je me sentirai toujours coupable de la disparition de leur fille. Ils m'ont tout de suite mise à l'aise et nous avons longuement parlé comme si nous avions toujours été des amis, nous tutoyant et nous appelant par nos prénoms. Nous nous sommes rencontrés de nouveau, l'année suivante, au même endroit.

— Au début, raconte la mère d'Anne-Marie, j'en ai voulu à ton fils. Je lui disais : Marc, tu nous as fait de la peine, mais regarde aussi tout le mal que tu as fait à ta mère !

— Pour ma part, ajoute son père, je n'ai pas eu de ressentiments. C'est comme si l'assassin de ma fille n'avait jamais existé. Le plus dur, c'était que notre enfant n'était plus avec nous. Elle aurait eu un accident d'automobile, j'ai l'impression que j'aurais réagi de la même façon.

Le soir du 6 décembre 1989, Michelle s'est inquiétée après avoir entendu à la radio qu'un drame venait de se produire à l'École polytechnique. Elle n'arrivait pas à rejoindre sa fille de vingt-deux ans qui demeurait en appartement avec des copines, près de l'Université de Montréal. Elle a appelé son époux qui travaillait très tard, et après avoir tenté d'obtenir des informations auprès de la police et des hôpitaux, ils se sont rendus à l'École polytechnique. Vers deux heures du matin, on leur a appris la mort d'Anne-Marie.

— On a pu l'identifier, relate sa mère. À la morgue, établie temporairement à l'École polytechnique, un médecin légiste nous a conduits dans une pièce faiblement éclairée. Notre fille était couchée sur une civière. Un linceul recouvrait son corps. Elle avait l'air de dormir. Je ne suis pas très religieuse mais c'est à ce moment-là que je me suis dit que Marie, la mère de Jésus, avait elle aussi perdu son enfant et était passée au travers. Je pouvais faire la même chose.

— J'ai eu une pensée similaire quand j'ai appris que mon fils était un meurtrier, lui ai-je dit, étonnée par ce qu'elle venait de me confier.

Curieusement, après son décès, Anne-Marie a été transportée dans le même complexe funéraire que Marc, à Longueuil. Ses funérailles n'ont pas eu lieu à la basilique Notre-Dame de Montréal, comme dans le cas de la plupart des victimes, mais à l'église de sa paroisse, à Boucherville, où elle avait grandi et était bien connue car elle faisait partie de la chorale.

— En disant adieu à Anne-Marie, nous lui avons promis, malgré notre profonde tristesse, de ne jamais vivre dans la haine. C'est ce qui nous a permis de continuer à bien vivre, assure son père, Pierre.

— Malgré toute notre volonté de nous en sortir, j'étais désemparée, poursuit sa mère. Un matin, je me suis levée en me demandant si un jour je pourrais de nouveau trouver que les fleurs sont belles.

Dans les jours qui ont suivi la mort de leur fille, les parents ont été marqués par des rêves qui les ont amenés à réfléchir sur le sens de la vie.

— Trois ou quatre jours après sa mort, se souvient son père, je rêvais qu'Anne-Marie était dans l'embrasure de la porte principale où je demeurais dans mon enfance. Elle me regardait, intensément, sans parler. Elle était souriante et accompagnée d'une autre jeune femme qui semblait lui servir de guide. Après un moment, cette dernière lui a mis une main sur l'épaule pour lui signifier qu'il fallait partir.

Quelques semaines plus tard, sans qu'ils en aient encore discuté, sa mère faisait un rêve semblable.

— Je l'ai vue, chez nous, dans l'embrasure de la porte de la salle à manger. Elle transportait plusieurs livres et m'a dit qu'elle était heureuse et continuait à apprendre.

Les parents se sont par la suite rappelé la discussion qu'ils avaient eue avec leur fille et quelques-uns de ses amis le 1er janvier 1989.

— Pour une raison inconnue, la discussion avait bifurqué sur la mort, raconte sa mère. Anne-Marie avait suggéré que le premier qui mourrait devrait venir dire aux autres comment ça se passe « de l'autre côté ».

— Je pensais bien que ce geste reviendrait à moi ou à Michelle, mais vraiment pas à l'une ou l'autre de ces jeunes personnes qui nous entouraient alors, ajoute Pierre.

Autre fait troublant : le jour de son décès, Anne-Marie est revenue de l'École polytechnique vers deux heures du matin, après avoir terminé le travail de fin de session qu'elle devait présenter en après-midi, quelques heures avant sa mort.

— Pendant que ses colocataires dormaient, explique sa mère, elle a écrit une phrase surprenante sur le babillard de la cuisine. C'était inscrit : « Aujourd'hui est le dernier jour de ma vie ! Wow ! C'est *weird* ! Je dois être fatiguée. »

Ces phénomènes inexpliqués ont incité le couple à lire beaucoup sur la vie après la mort. Ils sont convaincus que l'âme de leur fille est toujours vivante. Ils croient aussi que le pardon les aide à mieux vivre.

— Lorsqu'on a raconté ça à la télévision la première fois, certains nous ont pris pour des illuminés, me confie Pierre. Ils ne comprenaient pas pourquoi on n'en voulait pas à ton fils, Marc Lépine, et ce qui nous poussait à te rencontrer. C'est simple, ça nous fait du bien de ne pas haïr ! Ça nous fait encore plus de bien d'aimer et d'être compatissants pour ceux qui souffrent.

Le père d'Anne-Marie a beaucoup lu et réfléchi sur le sens de la vie et la rédemption.

— Nous avons beaucoup utilisé le mot pardon dans nos témoignages et plusieurs personnes de notre entourage n'ont pas accepté cela. Peut-être ont-elles raison ? Pardonner, dans le sens d'effacer une faute, ne nous appartient pas lorsqu'il s'agit d'un tel geste. C'est une affaire entre Dieu et l'assassin. Pour Michelle et moi, l'essentiel est d'évacuer le ressentiment et de vivre en paix.

— Le 6 décembre 1989, il n'y a pas eu quatorze victimes, insiste Michelle. Il y en a eu quinze. Ton fils était du nombre. Ce qui s'est produit, ce n'est pas de ta faute. Nous avons toujours pensé à toi !

Ils m'apprennent qu'à quelques reprises ces dernières années, lors de la commémoration du drame de l'École polytechnique, le 6 décembre, certains parents des victimes ont songé à m'inviter à me joindre à eux. D'autres ont refusé parce qu'ils n'étaient pas prêts à me rencontrer.

— Notre réaction peut en étonner plusieurs. Chaque personne vit le deuil à sa façon. Il faut se laisser du temps mais on ne doit pas s'enraciner dans la rancœur. L'animosité ne fait pas mal aux autres : elle nous tue lentement, croit Pierre. Il faut aussi bouger, même si c'est dur, et rester ouvert aux autres. Après la mort de notre fille aînée, j'ai continué à faire de l'opérette avec une troupe de théâtre lyrique. Je faisais le comique sur la scène. Ça ne me tentait pas toujours, mais j'avoue que cet exercice m'a donné l'envie de continuer et j'ai grandement bénéficié de l'affection et du soutien que m'ont procurés mes amis de la troupe.

Pendant plus de deux heures, ils m'ont dépeint leur nouvelle vie après la mort d'Anne-Marie, teintant chacun de leurs exemples de mots colorés et animés. Michelle m'a encore une fois serrée dans ses bras et m'a dit que nous allions nous revoir. Je ne sais pas comment les remercier. Si j'avais été à leur place est-ce que j'aurais pu faire preuve d'autant de compassion ? Je ne le saurai jamais. Leur fille n'a pas tué mon fils. Elle n'aurait jamais fait de mal à personne.

Avant de partir je leur ai demandé ce qu'ils font chaque 6 décembre. Ils ont échangé un regard complice et se sont mis à rire !

— Cette journée n'aura plus jamais la même signification pour nous. Le 6 décembre 2006, le jour anniversaire de la tuerie de l'École polytechnique, notre fille cadette, Isabelle, nous apprenait qu'elle était enceinte. Elle a trente-huit ans et nous n'avions jamais cru devenir grands-parents. Nous sommes fous de joie !

Cela montre encore une fois que nous pouvons vivre ce qu'il y a de pire, mais que la vie peut redevenir belle, avec le temps. Huit mois plus tard, par un beau matin ensoleillé du mois d'août, en se rendant à l'hôpital pour voir sa fille et sa magnifique petite-fille, Michelle admirait la nature. Depuis la disparition de sa fille aînée Anne-Marie, dix-huit ans auparavant, jamais elle n'avait trouvé les fleurs aussi belles.

Quelque chose a fleuri dans mon cœur à la suite de cette rencontre avec Michelle et Pierre, et cette entrevue télévisée, primée en 2007 par la Fédération professionnelle des journalistes du Québec. Dans les jours qui ont suivi l'émission, j'ai reçu de nombreuses lettres et courriels de parents touchés par mon témoignage. Ils voulaient me dire qu'eux aussi avaient souffert en silence pendant de nombreuses années parce que leur enfant avait commis un crime, ou encore qu'ils partageaient mes malheurs.

« J'ai beaucoup d'admiration pour ce que vous êtes devenue, m'écrivait une religieuse. J'ai beaucoup prié pour vous ! »

« Des centaines de milliers de personnes ont été touchées par votre témoignage, ajoutait un couple, bravo ! »

« Quel courage ! Vous m'avez fait tant de bien », signait Josée.

Une femme découragée m'a envoyé un courriel touchant : « Je me demandais ce que je faisais sur cette terre mais en vous écoutant, un souffle d'espoir a rempli mon cœur ! »

Certaines personnes m'encourageaient à écrire l'histoire de ma vie, pour aider ceux et celles qui vivent des tragédies et ne savent plus comment s'en sortir. D'autres me posaient des questions sur mon fils et ne comprenaient toujours pas ce qui avait pu se passer dans sa tête. En acceptant de relater mon passé, j'ai eu les mêmes interrogations qu'eux. Que s'est-il vraiment passé dans le cerveau de Marc ? Faisant l'objet d'autant de bienveillance, j'étais bien décidée à trouver les véritables réponses. Ma thérapie personnelle, amorcée il y a très longtemps, après la tuerie, allait peut-être pouvoir se terminer sous peu.

En retournant dans le passé meurtrier de mon fils, en 2007, quelques mois après mon entrevue télévisée – une véritable psychanalyse –, j'avais l'impression de monter, apeurée, dans le grenier d'une vieille maison abandonnée. Après être grimpée en haut d'une échelle grinçante, dont le bois s'est asséché avec les années, je risquais à tout moment de m'effondrer. Je cherchais la lumière. Dans ma tête, des fils d'araignées, symbole de mes tourments, entouraient une petite fenêtre qui me permettait tout juste de voir au loin. Elle laissait apparaître une lueur fantomatique obscurcie par la poussière que mes pas remuaient. J'avançais lentement, de peur de souffrir à nouveau et de découvrir des squelettes laissés dans l'oubli. Si j'avais eu une psychologue devant moi, je lui aurais dit qu'au milieu de ce grenier se trouvait un grand coffre verrouillé dont je n'étais pas la seule à posséder la clé. Il me restait à demander à ceux et celles qui possèdent un double de l'ouvrir pour moi, en espérant y retrouver des objets, des sentiments, qui me feraient finalement découvrir la vérité.

Voilà les émotions qui m'animaient et me torturaient l'esprit lorsque j'ai décidé de rencontrer les amis de Marc, dix-huit ans après sa mort. Je n'avais plus le choix : la seule façon pour moi de me libérer définitivement et de comprendre ce qui s'était passé, c'était de revoir ceux et celles qui l'avaient bien connu et qui avaient emprisonné dans leur mémoire des souvenirs jamais partagés.

Chaque jour, je m'en veux de n'avoir pu déceler la folie meurtrière de mon fils. Comment ai-je pu ne rien voir ? Étais-je aveuglée par mon petit monde et mes problèmes personnels au point de n'avoir pas constaté que Marc était plus désespéré que moi ? Je n'ai jamais vu mon fils en état de psychose, et je ne saurai jamais s'il souffrait de cette affection mentale, mais il m'arrive tout de même de l'imaginer en crise, quelques jours avant d'exécuter son geste. Il était peut-être recroquevillé par terre dans un coin de sa chambre, l'œil hagard, le cerveau déréglé, mijotant les crimes qu'il allait commettre pour se satisfaire et se libérer des angoisses qui le tenaillaient.

Avant cette matinée d'été 2007, je n'avais jamais osé demander à Érik Cossette s'il avait remarqué quelque chose d'anormal dans la vie de son colocataire, Marc Lépine. Il m'a donné rendez-vous dans un restaurant de la rue Saint-Denis dont le nom, *Aux derniers humains*, me laissait perplexe. Il est arrivé comme un revenant. Il y a des personnes qui donnent l'impression de ne jamais vieillir. C'est le cas d'Érik. Son regard d'adolescent, sa chevelure blonde et épaisse et sa peau lisse et vierge de rides, masquent ses quarante-deux ans.

En le revoyant, j'ai eu la sensation de retrouver le fils que j'ai perdu. J'avais envie de le serrer dans mes bras, mais je n'ai pas osé. Ça faisait une éternité qu'on ne s'était vus. Érik, c'était un peu le grand frère que Marc n'a jamais eu. Il essayait de l'aider et ne l'a jamais jugé, même après sa mort. En 1987, Érik a loué avec Marc l'appartement situé rue de Bordeaux à Montréal. Ils ont vécu ensemble jusqu'au mois de juillet 1989, partageant leurs repas, des loisirs, et quelquefois leurs frustrations. Ils se sont rencontrés au début de leurs études secondaires, à la polyvalente de Pierrefonds, dans l'ouest de l'île. À cette époque, Marc portait le nom de son père et était déjà un garçon mystérieux.

— Je me souviens, dit Érik. C'était la rentrée scolaire et le professeur voulait qu'on se présente à tour de rôle. À un moment donné, il a invité Gamil Gharbi à se lever dans la classe. Nous nous sommes tous retournés pour savoir qui était cet élève avec un nom si bizarre. Personne ne répondait. L'enseignant a répété une autre fois et rien ne s'est produit. Il y a eu un long silence puis, au fond de la classe, un garçon s'est levé. Il avait les cheveux châtain clair frisés, le dos légèrement courbé de honte. Il surveillait nos moindres réactions pendant que son visage rougissait. Il a finalement répondu qu'il était présent, de sa voix à peine audible.

Gamil a toujours détesté que les autres lui demandent d'où il venait avec un nom aussi exotique. Dans les années soixante-dix, les immigrants étaient beaucoup moins nombreux qu'aujourd'hui à Montréal et chaque remarque désobligeante le blessait beaucoup. Gamil se sentait exclu lorsque certains prétendaient qu'il était un Arabe. Il trouvait fastidieux d'expliquer sa naissance à Montréal, d'un père algérien et d'une mère québécoise. Il ne voulait absolument pas parler de cet homme qui lui avait donné la vie et avait complètement disparu de son existence alors qu'il n'avait que sept ans.

Érik partageait une partie de la tristesse de son camarade de classe. Son père l'a lui aussi quitté trop tôt. Érik n'avait que sept ans lorsque son père est mort dans un accident d'automobile. Après ce départ tragique, il y a toujours eu un grand vide dans la vie du jeune garçon. Les deux adolescents, très timides, se sont rapidement liés d'amitié. Ils jouaient ensemble sur leurs ordinateurs et s'échangeaient des jeux électroniques. Pour s'évader de la banlieue, les fins de semaine, ils prenaient le train et se rendaient à Montréal.

— On goûtait à la liberté. On n'avait pas encore atteint la majorité, mais on se considérait comme des hommes libres. On allait au centre-ville et Gamil jubilait à l'idée de passer du bon temps au cinéma Parisien ou encore à L'Impérial. Nous avons vu *Star Wars* et de nombreux autres films populaires. Gamil était semblable aux jeunes de son âge mais il ne parlait jamais de sa vie privée et passait son temps à me raconter ses découvertes en informatique comme si rien d'autre n'avait existé.

Deux ans avant la tragédie, c'est par nécessité que les deux copains se sont retrouvés et ont choisi de cohabiter. Érik n'avait pas les moyens de payer seul son loyer. Il étudiait en théâtre à l'Université du Québec à Montréal tandis que Marc terminait des cours de chimie au cégep du Vieux-Montréal, dans l'espoir de devenir un jour ingénieur.

— Il était imprévisible. Il pouvait rire aux éclats comme un enfant en regardant des séries américaines à la télévision, ou encore piquer une colère démesurée lorsqu'il avait des ennuis. Un jour, il faisait cuire un poulet. Il l'a laissé tomber sur le plancher de la cuisine en le retirant du four. Il vociférait et ne pouvait plus se contenir comme si c'était la fin du monde.

Une autre de ses connaissances, qui ne veut pas être nommée, m'a raconté que ses sautes d'humeur se multipliaient au fil du temps. Cette personne était à quelques mètres de Marc et vaquait à ses occupations, pendant que mon fils préparait un repas. Il y a subitement eu un bruit sourd. Elle s'est retournée en sursaut: Marc venait de défoncer le mur de la cuisine d'un coup de poing après qu'il eut constaté que la viande qu'il préparait était brûlée.

Selon Érik Cossette, Marc avait un autre problème, cette fois-là avec les femmes. Ses préjugés envers elles s'accentuaient. Il était convaincu qu'elles devaient rester à la maison pour prendre soin de leur famille. Il trouvait ridicule qu'elles deviennent policières, un emploi qu'on devait, selon lui, réserver aux hommes. Étonnamment, mon fils n'a jamais tenu de tels propos devant moi. Je ne l'aurais pas accepté, car j'ai moi-même été obligée de travailler à l'extérieur pour le faire vivre.

— Pourtant, raconte Érik, Marc mettait de côté son discours macho en présence des filles qu'il aimait beaucoup. Quand ma sœur jumelle venait faire son tour à l'appartement, il se comportait en gentleman. Il n'avait pas de copine mais aurait bien aimé en avoir une. Le problème, c'est qu'il ne savait pas comment approcher les femmes et leur parler. Pendant son cours de chimie, au collège, il s'était lié d'amitié avec une étudiante. Elle avait des difficultés et il lui avait offert son aide. Elle est venue quelquefois chez nous, mais Marc était très autoritaire et ne mettait pas de gants blancs pour lui dire sa façon de penser quand elle ne comprenait pas assez rapidement. Un soir, exaspérée par son comportement abusif, elle est partie en claquant la porte. Il se demandait ce qui s'était passé et n'admettait pas ses torts. Il croyait que toutes les femmes étaient en grande partie responsables de ses déboires.

Encore une fois je fus surprise, car je n'ai jamais décelé cette amertume de mon fils envers les femmes. Jamais il ne m'a reproché d'être libérée et de nuire à ses aspirations. Je découvrais qu'en présence d'hommes son discours changeait radicalement.

Marc était complexé. Son acné rebelle, apparue en force au début de l'adolescence, ne l'aidait pas. Je lui avais acheté des médicaments, qui coûtaient vingt dollars le comprimé, pour faire disparaître les lésions sur la peau de son visage, mais cela n'avait pas tout effacé. Il portait la barbe pour camoufler son problème.

— Un jour, raconte Érik, nous sommes allés ensemble à des retrouvailles organisées à la polyvalente de Pierrefonds. Je lui ai suggéré de raser sa barbe, pas très fournie, pour faire bonne impression auprès des filles. Comme il n'avait pas de crème à raser, il a utilisé une barre de savon. Sa peau est devenue très irritée et rouge. Il m'en a voulu pendant quelques jours.

Érik et Marc ne se disputaient pas souvent. Ils se respectaient et partageaient une autre vision commune. Selon eux, une bonne éducation était essentielle pour réussir dans la vie.

— Les études universitaires coûtent cher, alors un jour nous avons décidé de nous enrôler dans les Forces Armées canadiennes dans le seul but de faire payer nos frais de scolarité. On s'est rendu dans un centre de recrutement du centre-ville de Montréal. Nous avons passé des tests pour devenir élèves-officiers. J'ai décidé d'abandonner mon projet en cours de route. Marc, lui, a toujours raconté qu'il avait été rejeté à cause de son acné. C'est faux. Il m'a avoué que la véritable raison était son refus d'obéir et de se soumettre à l'autorité, ce qui avait été détecté par les recruteurs dans les tests d'aptitude qu'il avait subis.

L'armée n'a jamais voulu confirmer si cela est vrai ou faux. J'ai bien tenté d'en savoir plus en utilisant la Loi sur l'accès à l'information. Un officier m'a écrit que les dossiers d'enrôlement qui n'ont pas abouti sont détruits après trois ans.

Les deux amis d'enfance auraient pu connaître sensiblement la même carrière au sein d'une unité de combat de l'armée mais le destin en a voulu autrement. Un matin de juillet, en 1989, bombardé de déceptions, Érik est parti avec son balluchon sur l'épaule à l'assaut du Venezuela. Il était blasé et voulait vivre une nouvelle expérience.

— Marc était sur le balcon et me saluait, l'air triste. C'est la dernière fois que je l'ai vu. Pendant mon séjour de quelques mois en Amérique du Sud, je lui ai parlé brièvement au téléphone à quelques reprises car je l'avais mandaté pour effectuer certains de mes paiements à Montréal. Jamais il ne m'a semblé anormal et ne m'a parlé de son plan diabolique.

Érik Cossette vivait en bohème dans les villages vénézuéliens et ne se souciait pas de ce qui se passait au Québec. Quelques semaines après la tragédie, il a contacté sa mère qui lui a appris la mauvaise nouvelle. Il n'en croyait pas ses oreilles ! Les policiers d'Interpol étaient à sa recherche et voulaient l'interroger.

— J'ai pris l'avion et je suis revenu au pays. En arrivant, j'ai contacté les enquêteurs. J'étais terrifié. Ils croyaient à un complot dont j'aurais pu faire partie. Un détective m'a questionné pendant environ une heure et m'a confié avoir découvert dans les dossiers de Marc un travail scolaire réalisé au cégep dont le titre était *No Surrender*, qu'on pourrait traduire par «Aucune capitulation». Il avait dessiné sur la couverture du document une tête de mort et un couteau. Je ne savais pas quoi répondre, mais je ne crois pas que cela avait un lien avec la tuerie de l'École polytechnique.

Érik Cossette se montre fort quand il parle de cette difficile période de sa vie, mais il avoue que le temps ne peut pas lui faire oublier qu'un de ses meilleurs amis a assassiné quatorze étudiantes avant de se suicider. En me quittant, ce matin-là, l'ex-compagnon de mon fils, devenu professeur, a poussé un profond soupir et m'a confié qu'il a beaucoup réfléchi à ce qui s'est passé.

— Je sais que Marc vous aimait énormément. Il me l'a souvent dit. Avec le recul, et tout ce qui a été dit et écrit sur lui par les journalistes, les psychologues et le mouvement féministe, je suis convaincu que l'absence de son père et les méthodes brutales que ce dernier a utilisées envers lui durant les premières années de sa vie ont eu un rôle déterminant dans ce qui s'est produit. Si au moins j'avais pu le convaincre de me suivre au Venezuela, rien de tout cela ne serait arrivé. Il se serait peut-être ouvert à moi. Sa vision du monde aurait certainement été modifiée.

Marc avait choisi de faire un autre voyage, sans retour, et personne ne semble avoir détecté les gestes inhabituels qui auraient pu sonner l'alarme.

Quelques jours avant la tuerie de l'École polytechnique, Marc Lépine s'est rendu chez sa mère, rue Malo à Montréal. À première vue, il n'y avait rien d'anormal. Il conservait la clé de son logement et, quand elle était absente, il avait l'habitude de lui apporter régulièrement ses vêtements pour qu'elle les lave. Il prenait toujours soin de lui laisser un peu de détersif dans un contenant en plastique. Cette journée-là, ce n'est pas la lessive qui le préoccupait. Il croyait qu'il n'y avait personne chez elle et avait décidé d'aller y porter certains de ses effets personnels que Monique Lépine allait découvrir, dans le fond de sa garde-robe, deux mois après sa mort. Il avait dans les mains un gros sac de plastique noir et a semblé très surpris lorsqu'il a constaté que sa sœur Nadia et son copain, Jacques Truchon, étaient sur place.

— Lorsqu'il m'a vu dans l'encadrement de la porte, affirme Jacques Truchon, Marc ne m'a pas adressé la parole comme à l'accoutumée. Il a fait demi-tour et s'est mis à courir en fuyant dans le corridor de l'immeuble, avec son

177

sac dans les mains. Il pleurait. Je ne comprenais pas ce qui se passait et je l'ai dit à Nadia. Elle m'a répondu que Marc était toujours bizarre. J'ai rapidement oublié cet épisode pour vaquer à mes affaires en toute tranquillité.

Jacques Truchon, que je surnommais affectueusement «Coco» quand il partageait la vie de Nadia, n'avait jamais parlé de cet événement à personne pendant dix-huit ans. Il croyait que ça n'en valait pas la peine. Je ne l'avais pas revu depuis une dizaine d'années. Il m'est apparu toujours aussi galant avec un bouquet de fleurs à la main. Il m'a serrée dans ses bras et m'a confié qu'il avait des papillons dans l'estomac. Jacques a lui aussi précieusement conservé son allure du passé. Il a les cheveux longs et s'habille comme dans sa jeunesse, avec un chandail de course automobile et un jean. Il est devenu ouvrier de la construction et a solidement bâti sa nouvelle vie en fuyant la drogue qu'il consommait à outrance avec Nadia. Ses deux thérapies, extrêmement difficiles, ont rendu sa détermination aussi solide que les matériaux qu'il manipule.

— Vous rappelez-vous, madame Lépine, lorsqu'on allait souper chez vous tous les samedis? Pour nous épater, vous aviez suivi un cours de cuisine du chef Pol Martin avec Nadia et vous faisiez cuire plusieurs de vos aliments au micro-ondes. C'était nouveau! Vous prépariez aussi, sur la cuisinière, les meilleurs artichauts en ville et un canard à l'orange succulent.

Jacques est nerveux et prend une gorgée de bière avant de raconter comment il a vécu la tuerie.

— C'était le 7 décembre 1989. Une personne qui connaissait bien Nadia m'a téléphoné et voulait savoir où elle était. Je lui ai dit qu'elle était au travail, dans un salon de bronzage de la place Dupuis, rue Saint-Hubert. Quelques minutes plus tard, c'était au tour de Nadia de m'appeler. Elle était hystérique et criait que son frère avait

178

tué quatorze femmes. Je suis tombé à la renverse car je ne pouvais pas croire que c'était vrai. Je me suis mis à penser à la réaction de Marc, quelques jours plus tôt, dans le corridor de votre appartement et j'ai eu un sentiment de culpabilité. Comment aurais-je pu savoir?

Jacques dit qu'il a vécu une nuit d'enfer. Nadia est arrivée à la maison en fin de soirée, reconduite par des policiers qui venaient de l'interroger sur les meurtres. Littéralement en état de choc, elle ne voulait pas parler et ne réussissait pas à s'endormir. Elle s'est mise à faire des mots croisés pour tenter d'oublier. Elle avait de sérieux problèmes de drogue et était en manque. Déréglée, elle hurlait qu'elle ferait la même chose que son frère Marc. Les jours suivants ont aussi été pénibles. Des policiers, assis dans leur auto-patrouille, montaient la garde à quelques pas de leur résidence, parce que les journalistes avaient découvert l'endroit où ils demeuraient et ne cessaient de les harceler pour avoir des entrevues.

— Je ne savais pas grand-chose de Marc. Il ne parlait pas beaucoup. Il était fermé comme une huître. Je ne l'ai jamais vu avec une petite amie. Un soir, pour le déniaiser, je l'ai entraîné dans un bar de la rue Saint-Denis. Je lui ai payé un rhum and Coke. Même s'il buvait rarement, c'était sa boisson alcoolisée préférée. Accoudé au bar, il ne savait pas comment se comporter avec les femmes que je lui présentais et avait l'air d'un éléphant dans un magasin de porcelaine. Il était mal à l'aise et très nerveux, ce qui le faisait transpirer abondamment. Il voulait retourner chez lui. Souvent, lorsque nous sortions en groupe, nous lui demandions de nous suivre, mais il déclinait nos invitations. Il préférait se rendre à la bibliothèque municipale de la rue Sherbrooke pour lire des ouvrages scientifiques. Il était par ailleurs passionné par les jeux de société et voulait toujours jouer à Quelques arpents de pièges. Il réussissait à mémoriser de très nombreuses réponses, ce qui me semblait incroyable. S'il avait pu concentrer son énergie pour faire le bien, ce gars-là aurait été un génie !

Jacques confirme lui aussi que Marc avait un goût prononcé pour les films de guerre et les films d'horreur. Il en regardait énormément. Est-ce que cela a influencé la façon dont il a planifié ses assassinats ? Peut-être que son état anormal a été accentué par toutes les choses morbides que son cerveau avait enregistrées. Après la mort de mon fils, les médias ont évoqué le fait qu'il était avide d'effroi. Ils expliquaient ainsi la présence d'un crâne humain remarqué sur le bureau de sa chambre. Une voisine avait aperçu cet objet étrange à travers une fenêtre et en avait parlé aux journalistes. La première fois que j'ai vu ce crâne, c'est lorsque je suis allée faire le grand ménage de son appartement après sa mort. J'ai volontairement brisé cet objet insolite en le fracassant sur le sol car je le trouvais de mauvais goût. Je m'étais toujours demandé d'où il provenait.

— La tête de mort ? C'est Nadia et moi qui l'avons offerte en cadeau de Noël à Marc, en 1988, m'apprend Jacques Truchon. Comme plusieurs jeunes, il aimait tout ce qui était inaccoutumé, alors quand on a vu ce crâne en porcelaine dans une boutique, on s'est dit que ce serait le cadeau idéal pour lui. La tuerie n'a absolument rien à voir avec cela.

Quelques mois après le drame du 6 décembre 1989, Jacques Truchon s'est lui aussi fait un cadeau. Il a choisi de ne plus consommer de stupéfiants, mais cela l'a obligé à quitter ma fille, qui sombrait de plus en plus dans l'univers de la drogue et ne voulait pas se prendre en main.

— J'ai revu Nadia à quelques reprises par la suite. La mort de son frère, avec qui elle ne s'entendait pas toujours, l'a profondément affectée. Pour geler son mal, elle consommait de plus en plus de cocaïne. La dernière fois que je l'ai rencontrée, dans le métro, elle n'était plus que l'ombre d'elle-même. Elle était amaigrie, avait les yeux cernés. Très agitée, elle frappait dans les portes du wagon à coups de poing. Nadia criait et menaçait de s'enlever la vie comme son frère si je ne revenais pas avec elle.

En écoutant son récit, je ne peux m'empêcher de penser que le mal de vivre de mon fils et de ma fille avait probablement un lien direct avec ce que les psychologues appellent le trouble de l'attachement. Les plus récentes recherches démontrent que, dès sa naissance, un enfant a besoin de se sentir aimé et dorloté, jour après jour. Le nourrisson sait d'instinct qu'il dépend entièrement de ses parents. Il est l'être le plus précieux qui existe dans leur vie. Mais lorsque son père ou sa mère le laissent pleurer inutilement et n'en prennent pas soin quand il a faim et qu'il a peur, le nouveau-né a l'impression qu'il ne vaut pas grand-chose. Avec le temps, cet enfant mal-aimé développera des problèmes importants sur le plan des émotions et de ses relations avec les autres. C'est peut-être ce qui est arrivé à Marc et Nadia. Leur vie était hypothéquée dès leur plus tendre enfance.

Après avoir quitté mon mari, en 1971, j'ai demandé l'aide des services sociaux du gouvernement du Québec pour subvenir aux besoins de mes enfants. J'avais cessé de travailler durant cinq ans pour rester à la maison avec Gamil et Nadia et je ne parvenais pas à joindre les deux bouts, d'autant plus que mon ex-mari a cessé, après deux versements, de me payer la pension alimentaire de soixante-quinze dollars par semaine fixée par le tribunal. Le gouvernement m'a alors suggéré de confier mon fils et ma fille à l'adoption si je ne pouvais pas les faire vivre. Cela aurait été un sacrilège. J'ai décidé de me débrouiller seule en confiant la garde de Gamil et de Nadia à une famille originaire de la France qui habitait le quartier Pointe-aux-Trembles.

Cela me permettait de reprendre mon travail d'infirmière au Pavillon des femmes de l'hôpital Royal Victoria. Souvent, j'étais appelée d'urgence pour seconder les chirurgiens à la salle d'opération. Afin de parfaire mes connaissances, j'étudiais aussi trois soirs par semaine à l'université. À cause de mes horaires difficiles, et pour avoir une certaine liberté, j'avais donc décidé, en 1972, qu'il serait mieux de faire garder mes enfants à longueur de semaine. Cela leur permettrait de vivre dans une vraie famille, composée d'un père, cuisinier dans un petit restaurant, d'une mère aimante, et de leurs deux filles qui avaient sensiblement le même âge qu'eux.

Trente-trois ans plus tard, je retrouve pour la première fois, dans un petit café feutré de la rue Masson à Montréal, celle qui fut pendant près de deux ans la mère substitut de mes enfants. Annie A. a atteint l'âge de la retraite et préfère que l'on taise son nom de famille, car elle vit non loin de certaines familles des victimes de l'École polytechnique. Elle a un sourire émerveillé de petite fille avec des yeux qui brillent et souhaitait depuis longtemps me revoir. Elle s'excuse parce que son mari n'est pas présent. Il est décédé d'un cancer il y a quelques années. Sa fille cadette, Isabelle, est à ses côtés. Elles m'étreignent et m'embrassent.

— Je voudrais vous remercier pour tout ce que vous avez fait pour Gamil et Nadia. Je ne vous l'ai jamais dit auparavant !

J'ai des regrets et des trémolos dans la voix en lui faisant cette déclaration. Annie A. est fière et rougit. Elle ne s'attendait pas à un tel compliment de ma part.

— Je me souviens que Gamil était toujours très heureux de vous revoir quand vous veniez le chercher les fins de semaine, se rappelle-t-elle.

C'est vrai. Je me réjouissais moi aussi de retrouver mes enfants le week-end. Je partageais de bons moments avec eux dans le petit studio que j'avais loué, rue Sherbrooke à Montréal. Les jeux de société étaient nos passe-temps préférés. J'avais acheté un petit téléviseur en noir et blanc pour qu'ils regardant leurs émissions favorites. Nous allions souvent magasiner en famille et je préparais leurs mets préférés : du poulet cuit de toutes les façons imaginables et de la fondue. Quand je passais une commande au restaurant, Gamil voulait toujours avoir du poulet frit à la Kentucky.

J'aurais souhaité avoir continuellement mes enfants à mes côtés, mais j'aurais alors dû sacrifier ma carrière professionnelle. Je ne sais pas non plus comment j'aurais pu gagner ma vie autrement, pour nourrir mes enfants. Malgré quelques fréquentations, je n'étais pas prête à me remarier à cause des nombreuses blessures psychologiques qui n'étaient pas cicatrisées. Je regrette de n'avoir pu concilier ma vie privée et mon travail. Je sais que malheureusement, encore aujourd'hui, c'est le lot de nombreuses mères célibataires.

— Gamil était un petit garçon intelligent. Il fréquentait l'école primaire du quartier avec les filles et avait de très bonnes notes.

En me disant cela, avec son accent français prononcé, Annie A. me tend une série de photographies et de diapositives qu'elle a prises quand elle avait la garde de mes enfants. Sur un des clichés, Marc est en costume de bain sur la plage, sa sœur à ses côtés. Ils ont un air espiègle et rayonnent de bonheur. Annie a conservé beaucoup plus de souvenirs que moi. En 1997, j'ai choisi de faire le grand ménage dans ma vie. Mon travailleur social m'a conseillé de brûler toutes les photographies de mes enfants si cela me faisait du bien.

J'ai mis une bûche d'érable dans le foyer et j'ai fait craquer une allumette. Pendant que la chaleur m'envahissait, j'ai pris dans mes mains les photos que je conservais dans une boîte de carton et je les ai regardées l'une après l'autre, très lentement, au ralenti. Sur un des instantanés, Nadia faisait sa communion solennelle. Sur un autre, Marc jouait sur une plage. Chaque image me plongeait dans un passé, pas si lointain, que j'aurais voulu figer à tout jamais. Certains parents souhaitent que leurs enfants grandissent rapidement et quittent la maison. Moi, j'aurais préféré qu'ils restent petits, car les bambins ne savent pas ce que sont la haine et le mal. Pour une dernière fois, en clignant des yeux, j'ai enregistré chacun de ces bons moments dans ma mémoire et j'ai brûlé presque toutes les photographies. Cela m'a effectivement fait beaucoup de bien et m'a permis de rompre avec les émotions du passé. Les corps de mes enfants étaient en cendres. Leurs souvenirs captés sur des clichés le seraient aussi.

Afin de me rappeler jusqu'à ma mort que j'ai déjà été une mère, et pour me le prouver si un jour je perds la raison, j'ai conservé des images de Nadia, prises au cours d'un voyage en Suisse, quelques mois avant sa mort. J'en ai gardé une seule de Marc, quand il n'était pas ce qu'il est devenu. C'est une photo prise à l'école à l'âge de neuf ou dix ans. Il regardait fièrement l'objectif avec un sourire en coin, l'air d'affirmer qu'il deviendrait quelqu'un de connu un jour.

— Gamil riait tout le temps, me dit Isabelle A., pour me soustraire à la peine qui transparaît sur mon visage. Il nous taquinait tout le temps lorsqu'on allait en camping ou encore à l'aréna.

Je l'avais oublié, mais mon fils avait beau s'amuser, il était plus intellectuel que sportif. Gamil était inscrit à un cours de patinage artistique une fois par semaine. Annie et Isabelle s'esclaffent en se rappelant son comportement sur la glace qui ressemblait à celui d'un poulain qui vient de naître mais qui ne sait pas encore se tenir en équilibre sur ses pattes trop fragiles.

— Votre garçon avait besoin de beaucoup d'attention, note Annie. Un jour, au terrain de camping, mon mari lui a demandé d'aller chercher une bonbonne de naphta pour faire cuire les aliments. Il l'a lancée dans le feu, causant une explosion qui aurait pu être très dangereuse. Une autre fois, avant de repartir vers notre domicile, il a détaché les courroies de l'équipement de camping rangé sur le toit de la voiture. Heureusement on s'en est aperçu à la dernière minute.

Malgré cela, quand il était jeune, tout le monde trouvait que Gamil était normal. Pendant que sa sœur Nadia et les deux filles du couple A. jouaient à la Barbie, il passait son temps à manipuler ses blocs Lego. Il en avait des centaines qu'il plaçait minutieusement pour construire des modèles réduits. Il fabriquait tout aussi adroitement des cabanes en bois dans la forêt, derrière la maison de sa gardienne.

Malheureusement, en janvier 1974, mes enfants ont vécu une autre rupture. J'ai dû les séparer de la famille A. qui déménageait et ne pouvait plus s'en occuper. C'est à regret que j'ai décidé de les envoyer chez une infirmière, dans le quartier Saint-Michel à Montréal. Gamil et Nadia n'étaient plus les mêmes. Ma fille a connu un grand dérangement et s'est mise à uriner au lit. Mes enfants se sont sentis déracinés et leurs résultats scolaires ont dégringolé considérablement. Cela a duré quelques mois, le temps que je trouve, en parcourant les petites annonces, une autre famille pour les accueillir. J'en ai finalement découvert une à Béthanie, un village situé en Estrie. Gamil et Nadia ont été confiés à un couple d'anciens professeurs qui avaient délaissé le système d'éducation pour s'acheter une terre agricole. Ils avaient eux aussi deux filles et mes enfants pouvaient fréquenter l'école du rang avec elles. Tout allait pour le mieux. Mais les enfants s'ennuyaient de moi.

En 1976, l'année officielle de mon divorce, après une multitude de procédures légales qui m'ont coûté les yeux de la tête, Gamil et Nadia m'ont demandé de revenir à la maison. J'étais devenue directrice des soins infirmiers au Montreal Convalescent Hospital. J'avais les reins assez solides pour louer un grand appartement de six pièces et demi, avec trois chambres à coucher, tout près de mon travail, rue Van Horne. Gamil allait bientôt célébrer son douzième anniversaire de naissance et pouvait désormais surveiller sa petite sœur de neuf ans quand je me rendais à l'ouvrage. Après la classe, mes enfants venaient souvent me rejoindre à mon bureau et nous nous racontions les péripéties de nos journées en retournant à pied chez nous.

— On se demandait souvent ce qu'il était advenu de vous trois, me dit, chagrinée, Annie A., me ramenant dans le présent.

Je ne leur avais jamais donné de nouvelles. J'étais trop gênée de le faire. J'avais peur de les embêter avec mes histoires. Puis, le 7 décembre 1989, en ouvrant leur téléviseur, les A. ont entendu le nom de Gamil Gharbi, prononcé pour la première fois par les journalistes. Ils ont compris, beaucoup mieux que quiconque, ce que cela signifiait. Ils avaient connu et aimé ce garçon devenu malheureusement meurtrier. Ils n'avaient jamais entendu parler de Marc Lépine, car ce n'est qu'à l'adolescence que mon fils a modifié son identité. Annie A. n'a pas porté de jugement, même si elle était atterrée. Elle s'est cachée pour pleurer un peu et a tout simplement dit à ses filles que Gamil était allé rejoindre leur père mort d'un cancer de l'intestin quelques mois plus tôt. Isabelle a aussi eu beaucoup de peine, car elle se considérait comme la sœur de Gamil. C'est un de ses plus grands secrets et elle n'a jamais raconté à ses amis le lien qui l'unissait au tueur de l'École polytechnique.

— Ce qui est étrange, dit-elle, c'est que le soir du 6 décembre 1989, je me suis rendue avec mon conjoint sur les lieux de la tragédie. Il est caméraman pour la télévision et a été appelé d'urgence. Il m'a demandé de l'accompagner. J'ai assisté, jusqu'au milieu de la nuit, à des scènes d'une grande tristesse. Plusieurs parents des victimes, en pleurs, défilaient les uns après les autres en souhaitant qu'il ne soit rien arrivé à leur fille. Je ne savais pas à ce moment-là qui était l'assassin. En y repensant aujourd'hui, lorsque je suis arrivée devant le pavillon universitaire, Gamil était probablement encore en vie. Si j'avais su que c'était lui j'aurais tellement voulu lui parler et le ramener à la réalité. J'aurais peut-être pu sauver des vies et pourquoi pas la sienne, même s'il était convaincu qu'elle n'avait plus aucune valeur.

Marc aurait voulu être quelqu'un d'autre. J'ai essayé de l'aider pour qu'il s'aime lui-même, mais cela n'a pas fonctionné. Quand il a voulu changer de nom et de prénom, à l'âge de quatorze ans, j'ai acquiescé à sa demande. Il en avait assez de se faire traiter d'Arabe par certains adolescents de son école. J'ai consulté un notaire, dans le quartier Côte-des-Neiges. Il a tout arrangé et préparé les documents moyennant un montant de deux mille dollars. Marc T. était l'époux d'une de mes collègues de travail, et mon fils l'aimait beaucoup. On allait souvent se baigner chez lui. Gamil a choisi le même prénom que cet homme, devenu son modèle masculin. Ensuite, pour rayer à tout jamais le nom de son père qu'il maudissait, il a inscrit le mien sur son acte de naissance. Marc Lépine pouvait commencer à exister.

Mon fils croyait probablement que sa nouvelle identité pouvait l'arracher à sa jeunesse malheureuse en transformant ses angoisses en espoirs, ses peurs et sa timidité en assurance et en détermination. Ce ne fut pas le cas. Il n'était pas bien dans sa peau et venait à peine de modifier son nom lorsqu'il a fait un voyage à Boston avec un de ses amis. Quand il est revenu à la maison, ma fille et moi avons découvert dans ses bagages une photographie qu'il voulait conserver secrètement. Il était dans une piscine et enlaçait une adolescente de son âge. On a trouvé ça drôle, mais pas lui. Fou de rage, il nous a arraché la photo des mains et s'est enfermé dans sa chambre.

À l'adolescence, Marc aimait les femmes mais, certainement par pudeur, il n'en parlait pas. Il en aurait peut-être été autrement s'il avait eu un père compréhensif à ses côtés pour en discuter. Il aurait pu inviter des amies à la maison mais il ne l'a jamais fait. J'ai rencontré dernièrement une jeune femme, Jeanne, qui côtoyait souvent Marc lorsqu'il étudiait à la polyvalente de Pierrefonds. Elle lui disait qu'elle l'aimait bien mais il ne la croyait pas, comme si aucun être du sexe opposé ne pouvait s'intéresser à lui. J'ai déjà été comme mon fils. Je lui ai certainement transmis mon insécurité affective. Moi aussi, j'ai longtemps cru qu'aucun homme ne pouvait m'aimer. Je ne m'aimais pas moi-même. Je me trouvais grosse et laide.

On ne connaît jamais assez bien ses enfants. Je suis consciente aujourd'hui que Marc était un être complexe et malheureux qui avait quelquefois des gestes inexplicables. Cela aurait dû m'alerter.

En y repensant bien, j'en arrive à la conclusion que les problèmes que mon fils a connus avec les femmes ont peut-être commencé le jour où sa sœur est née. Nous vivions alors à Porto Rico pour nous rapprocher de mon mari, qui faisait des affaires dans les Caraïbes, et j'avais décidé de revenir à la dernière minute à Montréal pour accoucher en toute sécurité. La compagnie aérienne PanAm m'avait fait signer une décharge craignant que j'accouche dans l'avion. Gamil a été gardé pendant quelques semaines chez ses grands-parents maternels et a probablement ressenti qu'il ne serait plus le seul à avoir mon amour et mon attention.

À l'hôpital Sainte-Justine, j'occupais la même chambre que trois ans plus tôt, lors de la naissance de mon fils. Je pouvais voir la côte Sainte-Catherine par la fenêtre et les longues files de véhicules qui allaient et venaient sans cesse. Le scénario se répétait ; j'étais encore une fois seule, car mon mari était en voyage d'affaires. Tout comme son frère, Nadia Yacina Gharbi est venue au monde par césa-rienne. Il était huit heures du matin, le 7 avril 1967. J'avais fixé avec le médecin la date et l'heure de mon accouche-ment. J'ai bien failli ne jamais faire la connaissance de ma fille car j'ai subi une hémorragie qui a nécessité une trans-fusion sanguine et une opération urgente. Le chirurgien envisageait une hystérectomie mais s'est ravisé quand mon état s'est subitement amélioré.

Lorsque je me suis réveillée, quelques heures plus tard, ma première question a été de demander aux infir-mières si j'avais eu un autre garçon. Quand elles m'ont répondu qu'il s'agissait d'une fille, j'étais très déçue. Ma réaction était simple : j'avais peur qu'elle soit sans défense dans une société phallocrate. Dans les années soixante-dix, les hommes contrôlaient presque tout et avaient encore plus de chances de réussir que les femmes. De nombreuses épouses étaient confinées au foyer et dépen-daient entièrement de leur conjoint. Elles ne pouvaient pas faire ce qu'elles désiraient. Je ne voulais pas que ma fille subisse le même sort qu'elles. Je ne désirais surtout pas qu'elle soit manipulée par un homme comme je l'étais moi-même.

J'ai finalement laissé mes craintes de côté et j'ai été émerveillée lorsque j'ai vu ma fille toute menue et en parfaite santé, avec sa chevelure noire et épaisse. Ses menottes et ses petits pieds bougeaient constamment, comme si elle voulait me montrer qu'elle était pleine de vie et prête à affronter ce monde qui me faisait peur. Après sa sortie de l'hôpital, elle est demeurée trois mois dans une pouponnière que j'avais trouvée à Laval parce que je n'avais pas la capacité de m'en occuper. J'étais trop faible et je crois que j'ai fait une dépression postnatale qui n'a pas été soignée. J'allais la voir de temps en temps, mais ma fibre maternelle avait curieusement disparu. Je la prenais rarement dans mes bras. Je me sentais indigne d'avoir des enfants. J'ai réussi à remonter la pente très lentement, semaine après semaine.

Quand elle est arrivée à la maison, Nadia n'a pas été bien accueillie par son grand frère. La première journée, j'ai couché la petite dans son berceau et j'ai surpris Gamil en train de la balancer très fort. Il voulait la faire tomber. Plus jamais je ne l'ai laissé seul avec elle. Je craignais qu'il lui fasse du mal.

La jalousie de Gamil s'est accrue avec le temps. En grandissant, Nadia était de plus en plus jolie, avec son teint basané, ses yeux bruns et ses cheveux foncés. Tout le monde lui prêtait une attention particulière, ce qui n'était pas le cas de son frère, qui se sentait de plus en plus repoussant à cause de l'acné qui apparaissait sur son visage. Elle ne se gênait pas pour lui dire qu'il n'était pas très beau et prononçait souvent en public des paroles blessantes à son endroit. Lui ne répliquait pas. Il prenait ses affaires et s'en allait sans dire un mot. Il refoulait ses sentiments.

Contrairement à Gamil, qui était discret et replié sur lui-même, Nadia faisait tout ce qu'elle pouvait pour se faire remarquer. Je m'en suis véritablement rendu compte alors qu'elle avait neuf ans. Elle venait de passer le plus clair de son temps dans des familles d'accueil et j'avais l'impression de la découvrir pour la première fois. Un soir d'été, elle a été portée disparue dans le quartier Côte-des-Neiges.

Elle avait l'habitude de jouer dans le parc Kent, situé derrière notre appartement, et rentrait toujours à l'heure pour souper. Mais cette journée-là, elle n'a pas donné signe de vie. Il commençait à faire noir à l'extérieur et, angoissée, j'ai alerté les policiers. Je leur ai remis une photographie de Nadia pour qu'ils puissent l'identifier. Elle m'a fait une de ces trouilles jusqu'à vingt et une heures. C'est à ce moment qu'une de ses amies, qui m'était inconnue, m'a téléphoné pour me demander si ma fille pouvait dormir chez elle. Alertés, les patrouilleurs de la police municipale sont allés la chercher avec moi, à quelques rues de mon domicile, et lui ont fait des remontrances. Elle n'a pas voulu s'excuser et a regardé sa photo qu'un des policiers tenait dans ses mains. Elle m'a fixée droit dans les yeux en me disant :

— Tu aurais au moins pu en choisir une plus belle !

Dépassée par les événements, et consciente que je n'avais pas beaucoup de compétences parentales, j'ai alors décidé de consulter un psychiatre de l'hôpital Sainte-Justine avec mes deux enfants. Je voulais simplement m'améliorer en tant que mère monoparentale, apprendre à discuter avec Gamil et Nadia que je ne connaissais pas vraiment à cause d'une trop longue séparation. Même si Gamil était un garçon mystérieux et vivait la plus grande partie de son temps dans sa chambre, après l'avoir examiné, le psychiatre en est venu à la conclusion qu'il se portait très bien et qu'il n'avait pas besoin de soins. J'ai raconté au docteur que Nadia était souvent impolie et contestait mon autorité. Il a jugé qu'elle devait suivre une courte thérapie d'une durée d'un mois. Impossible de savoir en quoi cela consistait. Le psychiatre me disait que je ne devais pas me mêler de cela et ne m'a jamais fait aucune recommandation pour aider ma fille.

Le traitement de Nadia a avorté après quelques rencontres, car elle avait plus d'un tour dans son sac. Elle téléphonait régulièrement au bureau du médecin pour faire croire qu'elle avait oublié ses rendez-vous. Il la laissait faire. J'ai récemment tenté d'obtenir les résultats de sa thérapie, de même que l'évaluation psychiatrique de mon fils, mais les responsables des archives de l'hôpital Sainte-Justine n'ont pas voulu me les remettre étant donné que mes enfants étaient décédés. Avaient-ils des troubles·

mentaux qui n'ont pas été diagnostiqués ? C'est une question qui me revient constamment à l'esprit. Je me demande particulièrement si Marc souffrait déjà d'une forme de folie qui n'a pas été diagnostiquée et s'est lentement développée par la suite.

Je me souviens d'un incident bizarre, survenu en 1977. Je venais d'acheter une résidence à Pierrefonds. C'était un petit paradis. Onze arbres entouraient le bungalow construit sur un grand terrain de verdure. Marc et Nadia se sont chicanés pour une raison que j'oublie. Mon fils n'en pouvait plus. Le soir, il est sorti dans la cour arrière et, à la lueur de la lune, il a remué la terre fraîche avec une pelle. Il a creusé méticuleusement dans le terrain un trou assez grand pour recevoir un corps humain. Puis, avec les matériaux qui lui sont tombés sous la main, il a confectionné ce qui ressemblait à une pierre tombale et y a inscrit en lettres majuscules le nom de sa sœur en plus d'y ajouter sa photo. Une fois son œuvre terminée, il s'est recueilli en silence comme s'il lui disait adieu pour l'éternité. J'ai trouvé ce geste de très mauvais goût et je lui ai demandé de tout enlever et de s'excuser. C'est ce qu'il a fait sans rechigner mais en me dévisageant avec des yeux maléfiques.

Mon fils avait un côté très sombre. Quelques mois plus tard, il s'en est pris à mon chat, Bouboule, qui entrait et sortait à sa guise par la fenêtre de ma chambre pour me rapporter ses trophées de chasse, des souris qui constituaient ses principales proies. Un jour, Bouboule n'est pas revenu à la maison. Inquiète, j'ai demandé aux enfants s'ils l'avaient aperçu dans le voisinage. Nadia m'a alors confié qu'elle avait vu son frère mettre des cordes autour du cou de l'animal. Je n'ai jamais retrouvé mon chat et Marc n'a pas voulu avouer qu'il avait usé de cruauté envers lui. Dès le milieu des années soixante, des chercheurs ont établi un lien direct entre la cruauté commise par des enfants envers les animaux et leur aptitude à devenir des criminels parvenus à l'âge adulte[6]. Cette théorie est cependant contestée par certains psychologues depuis quelques années. Je crois pour ma part aujourd'hui qu'en faisant disparaître mon chat que j'aimais il s'en prenait indirectement à moi pour me faire souffrir. À ce moment-là, j'ai pris cela à la légère. Ces événements me semblaient normaux, car Marc m'apparaissait comme un adolescent ordinaire avec ses périodes de crise, de contestation, et d'ambivalence. Son meilleur ami pensait la même chose même s'il le trouvait quelquefois bizarre.

6. Webster, C. D., K. S. Douglas, D. Eaves et S. D. Hart, Her-20 : *Assessing risk for violence*, Burnaby, B. C., Simon Fraser University, p. 7.

On entendait la roucoulade des pigeons sur le pont ferroviaire enjambant la rivière des Prairies, ondulée par un vent léger d'été en cette fin des années soixante-dix. Le soleil dorait les cheveux des deux adolescents au teint basané qui marchaient silencieusement sur la pointe des pieds, comme des funambules, sur les rails du chemin de fer.

— Ça y est, on est arrivé, dit Gamil Gharbi, en s'immobilisant au milieu de la structure d'acier, surmontant le cours d'eau.

Il n'y avait aucun convoi de marchandises ni train de passagers à l'horizon pour déranger la concentration du tireur. Gamil ajusta la crosse de sa carabine à plomb contre son épaule et appuya délicatement sur la détente. La décharge fit décamper les oiseaux au milieu d'un nuage de plumes, mais il rata sa cible.

— Je suis meilleur que toi, lui lança à la blague Jean Bélanger.

— Impossible, répliqua Gamil, en observant ce que l'autre s'apprêtait à faire.

Jean Bélanger attendit que les pigeons échaudés reviennent sur le pont, après quelques minutes, et tira à son tour sans atteindre aucun volatile, ce qui provoqua le rire moqueur de Gamil amplifié par l'écho.

— Gamil aimait beaucoup tirer à la carabine à plomb, quelques fois par année, mais n'était pas un maniaque des armes. Nous avions chacun notre arme, mais c'était pour nous amuser, se rappelle Jean Bélanger.

Jean est certainement celui qui a le mieux connu mon fils pendant son adolescence, au moment même où ses façons de faire commençaient à m'inquiéter. Ils étaient presque toujours ensemble. Quand ils ne pourchassaient pas les pigeons sur le pont, ils passaient des journées enfermés dans le sous-sol chez moi, à mettre au point toutes sortes de gadgets électroniques comme des systèmes de son et de lumière.

Je n'avais plus entendu parler de Jean Bélanger depuis 1989. J'étais un peu fâchée après lui parce qu'il s'était confié aux journalistes, quelques semaines après la tuerie, et avait laissé entendre que mon fils avait eu de graves problèmes familiaux mais n'avait pas voulu trop en parler. J'aurais préféré que Jean se taise et laisse passer la tempête médiatique.

— Je ne voulais faire de peine à personne, mais lorsque j'ai lu les journaux et écouté les nouvelles à la radio et à la télévision, j'ai voulu défendre Marc. Les commentateurs et éditorialistes disaient n'importe quoi, alors j'ai choisi de parler.

Les chemins empruntés par Gamil et Jean se sont croisés pour la première fois en septembre 1977. C'était moins d'un an après l'élection du Parti québécois. Plusieurs anglophones installés à Pierrefonds, dans l'ouest de la métropole, apeurés par les ambitions nationalistes de

René Lévesque, avaient préféré vendre leur maison à bas prix et fuir vers l'Ontario plutôt que de subir un jour l'indépendance du Québec.

Je n'avais pas beaucoup d'argent, mais j'en avais assez d'être locataire et de déménager chaque fois qu'une hausse du prix des loyers affectait trop mon budget. Une infirmière avec qui je travaillais m'a offert de me prêter le montant nécessaire pour une mise de fonds. C'est ainsi que j'ai pu acheter une maison, rue Perron, tout près de la résidence des parents de Jean Bélanger.

— La première fois que j'ai vu Gamil, se souvient Jean Bélanger, c'était dans l'autobus, le jour de la rentrée scolaire, à l'école secondaire Saint-Thomas de Pointe-Claire. Il était nouveau dans le quartier. Je ne l'avais jamais croisé auparavant. Il était assis seul sur un banc, une casquette bien enfoncée sur la tête et de l'acné plein le visage. Personne ne lui parlait et il regardait constamment par la vitre du véhicule pour éviter de croiser le regard des élèves qui montaient à chaque arrêt. J'ai décidé d'aller lui parler. Il était très gêné. J'ai appris à le connaître et on ne s'est pas quittés pendant cinq ans.

Jean Bélanger avait beau être le meilleur ami de Marc à l'école secondaire, il n'a jamais réussi à percer ses secrets.

— On parlait la plupart du temps d'électronique. Mais quand on abordait l'univers des sentiments et des émotions, il se refermait complètement, comme s'il voulait se protéger. Il ressemblait à un animal blessé et ne racontait pas ce qui se passait dans sa tête. Une fois, je lui ai demandé où était son père. Agacé par ma trop grande curiosité et en me regardant sévèrement, il m'a répondu qu'il ne le savait pas, qu'il était probablement retourné dans son pays d'origine, l'Algérie.

Il n'a pas voulu s'étendre sur le sujet et Jean Bélanger a compris qu'il ne devait plus parler du père de Gamil ni le forcer à exprimer ce qu'il ressentait au plus profond de son cœur.

— Gamil était tellement timide que cela me semblait anormal. Au début, quand il venait me retrouver chez mes parents, il restait planté près de la porte d'entrée, attendant que je lui dise de descendre au sous-sol. Il n'aurait jamais fait un pas sans ma permission. Craintif, il avait de la difficulté à dire bonjour à mon père et à ma mère qui l'accueillaient pourtant à bras ouverts.

Il confirme à son tour que Gamil était très mal à l'aise avec les filles. À l'âge de quinze ans, Jean a eu une petite amie, mais mon fils était embarrassé et ne savait pas comment se comporter lorsqu'il les voyait se cajoler. Jusqu'au jour où il a lui aussi ressenti le besoin d'apprendre à câliner une adolescente du voisinage avec qui il s'est mis à flirter un été.

— Gamil aimait beaucoup une fille qui demeurait près de chez lui, précise Jean Bélanger. Ils se sont embrassés un après-midi, dans la cour arrière de votre maison. Mais sa sœur Nadia les a surpris et s'est moquée de lui. Consterné, Gamil ne cessait de répéter « *Oh shit !* » et s'est senti obligé de cesser sa relation avec l'adolescente afin de ne plus être la risée de sa sœur, qu'il détestait de plus en plus. Elle n'arrêtait pas de lui dire qu'il n'avait pas de couilles. Elle le traitait de tous les noms et laissait même entendre qu'il était homosexuel.

Jean Bélanger redoutait lui aussi Nadia. Il a gardé l'image d'une fille qui faisait toujours la fête et avait des fréquentations douteuses. À l'école secondaire, elle consommait de la marijuana et avait une allure négligée. Pour se faire remarquer et imposer son style contestataire, elle portait continuellement des bottes de travail et des chemises à carreaux rouges et noirs.

— Gamil ne voulait pas être associé à sa sœur et la fuyait comme la peste. Je crois que si quelqu'un avait attaqué Nadia, il ne l'aurait jamais défendue.

Par contre, Jean Bélanger n'a jamais entendu Gamil parler en mal de moi. Il lui aurait même confié qu'il aurait aimé me protéger quand il était plus jeune.

— Gamil trouvait ignoble la façon dont son père vous traitait. Il m'a raconté qu'un jour vous receviez des amis à souper. Vous les avez servis avant votre ex-conjoint. Celui-ci s'est levé, enragé, et vous a donné une claque derrière la tête devant tout le monde. Si Gamil et Nadia se levaient de table sans saluer leur père, ils avaient droit à la même punition. Il a été profondément marqué par cette brutalité.

Malgré tout ce qui s'est produit, j'ai toujours cru que la présence d'un homme était importante dans l'éducation de mon fils. Je voulais démontrer à Gamil qu'il existait, à l'inverse de son père, des gens d'une grande bonté sur la terre pour s'occuper des jeunes. Je me suis alors tournée vers l'Association des Grands Frères. Un bénévole a accepté de jouer le rôle que le père de Gamil avait abandonné.

— Le « grand frère » de Gamil était remarquable, assure Jean Bélanger. Il adorait le motocross et nous en faisait profiter. Il avait transformé une partie de votre sous-sol en atelier de réparation mécanique. Il nous apprenait à démonter et à réparer les pièces des engins en plus de nous les laisser conduire dans les champs bordant la demeure. Il était aussi un grand amateur de photographie et avait installé un laboratoire pour développer les clichés que nous prenions avec ses appareils. Il nous avait même appris à conduire sa grosse Buick Électra dans le stationnement du ciné-parc.

Gamil aimait beaucoup son « grand frère ». Il se retrouvait souvent seul avec lui pour dévaler les pentes de ski ou encore magasiner. Cet homme âgé d'un peu plus de quarante ans et mesurant près de six pieds était célibataire. Je m'étais toujours demandé pourquoi. Je ne le trouvais pas laid avec ses traits fins et son sourire angélique. Originaire d'Allemagne, cet ingénieur avait un léger accent germanique qui aurait pu faire craquer de nombreuses femmes.

En juillet 1979, j'ai commencé à comprendre qui était cet individu énigmatique lorsqu'il m'a téléphoné pour me dire qu'il était incarcéré à la prison de Bordeaux. Il me demandait d'aller récupérer le courrier qui s'accumulait à sa résidence parce qu'il ne savait pas quand il serait libéré. Les policiers le suspectaient d'attouchements sexuels sur des garçons.

Je suis allée le voir derrière les murs de la vieille prison provinciale centenaire, construite dans le nord de la ville. C'était la première fois que je pénétrais dans un tel endroit, triste et sévère, une véritable muraille entre la captivité et la liberté. J'ai pu rencontrer le «grand frère» dont le masque venait de tomber. Il m'a regardée, repentant, et m'a remerciée d'être venue le voir.

— Est-ce que vous avez touché à Gamil? lui ai-je lancé au visage.

— Non, jamais je n'aurais fait cela!

La rencontre fut brève et glaciale, comme l'air qui circulait ce jour-là près des cachots. Je ne savais pas si je devais le croire ou non. Je ne l'ai jamais revu et je ne sais pas s'il a été condamné ou relâché faute de preuves suffisantes. Au Palais de justice de Montréal, je n'ai retrouvé aucune trace de son dossier criminel.

Le pire a été d'annoncer la triste nouvelle à mon fils. Pendant deux ans, il avait donné toute sa confiance et son amour à un homme qui devait être son nouveau modèle dans la vie. Je craignais sa réaction. Je l'ai invité au restaurant et je suis allée droit au but, sans mettre de gants blancs.

— Gamil, tu ne pourras plus voir ton « grand frère ». Il est en prison parce qu'il aurait fait des attouchements à des enfants !

Il m'a regardé, stoïque, et a écouté mes explications jusqu'à la fin sans broncher.

— Ce n'est pas la première fois que je perds un ami !

Même si je ne comprenais pas ce qu'il voulait dire, il n'a rien voulu ajouter, à part le fait que son « grand frère » ne l'avait jamais agressé. Cet événement malheureux a été un autre revers dans sa vie. Jean Bélanger en a été témoin.

— Je ne voyais plus le « grand frère », et Gamil ne voulait pas me dire ce qui se passait. J'avais beau essayer de lui tirer les vers du nez, tout ce qu'il a trouvé à me dire, c'est que cet homme ne viendrait plus jamais chez lui, c'est tout.

Des journalistes ont souvent raconté que Marc était un passionné de l'histoire de la Seconde Guerre mondiale et friand de films sur Adolf Hitler. Son « grand frère » a-t-il pu l'intéresser au Führer et au nazisme ?

— Je ne crois pas, dit Jean Bélanger. Son « grand frère » était à mon avis calme et pacifique. Il n'aimait pas la guerre.

Je me souviens d'un événement qui s'est produit au début des années 1980, alors que Marc suivait un cours de programmeur analyste dans l'édifice où je travaillais au centre-ville de Montréal. Un jour, je l'ai croisé dans l'ascenseur bondé de travailleurs. J'ai eu de la difficulté à le reconnaître : il n'avait pas l'air dans son assiette. Il a baragouiné ce qui ressemblait à des mots allemands en levant le bras droit dans les airs comme le faisaient jadis les Nazis. J'avais honte. Tout le monde le regardait et semblait le prendre pour un fou.

Je me suis mise à m'inquiéter davantage pour lui à la fin de ses études secondaires. Il était un élève brillant et avait été choisi pour participer à un concours de mathématiques à l'échelle provinciale. Gamil se faisait désormais appeler Marc. Mais cela n'avait rien changé à sa personnalité. Il était très méthodique et rationnel, mais avait en même temps des tendances antisociales. Il se mêlait de moins en moins aux autres. Quand il arrivait à la maison, il demandait toujours ce qu'il y avait à manger. Il raffolait de mon macaroni au fromage, de mes couscous et de mes ragoûts. Il mangeait comme un glouton, sans prononcer un seul mot, avant de s'engouffrer dans sa chambre pour faire ses devoirs, regarder la télévision ou jouer sur son ordinateur. J'avais demandé à son enseignante de mathématiques si elle trouvait que mon fils avait un comportement bizarre. Elle m'avait répondu que Marc s'isolait et ne faisait jamais le premier pas vers les autres. Par contre, une fois le contact établi, il était très affable.

À la même époque, l'intransigeance de Marc envers les autres grandissait. Il venait d'avoir dix-sept ans. Nous discutions d'un sujet controversé, lorsqu'à ma grande surprise il m'a saisie par le bras et m'a serrée très fort au point où ses doigts pénétraient dans ma peau. Je l'ai regardé et sur un ton autoritaire je lui ai dit :

— Si tu continues à me faire mal, tu vas sortir de la maison !

Il a lâché prise immédiatement, ébahi par ce qu'il venait de faire et s'est dirigé vers sa chambre. C'est la seule fois qu'il a osé s'en prendre à moi.

— Le Gamil que j'ai d'abord connu, puis le Marc qu'il est devenu, pendant que nous étions ensemble, n'était pas quelqu'un de foncièrement violent, affirme Jean Bélanger. Je veux que les gens soient au courant. Il pouvait

206

s'emporter à l'occasion, comme nous le faisons tous, mais avait bon cœur.

Jean Bélanger et mon fils se sont séparés après leurs études secondaires. Jean avait vieilli plus rapidement. Il était mûr et a commencé à travailler. Il s'est acheté une voiture, a rencontré une femme avec qui il partageait la plupart de ses moments, alors que Marc ne savait pas trop où il s'en allait dans la vie.

— Marc et moi, on ne s'est pas reparlés pendant au moins dix ans, jusqu'à ce qu'il se rende à des retrouvailles organisées à notre ancienne école secondaire. Il a été déçu de ne pas me voir et a appris que je venais d'être victime d'un grave accident de travail. Une lourde porte de garage s'était écrasée sur moi, ce qui avait failli me tuer. Avec sa débrouillardise, Marc a réussi à retrouver ma trace à l'hôpital et m'a téléphoné pour avoir de mes nouvelles. Notre conversation a duré quelques minutes. Il semblait être en forme. C'est la dernière fois que j'ai entendu sa voix.

Un an et demi plus tard, Jean Bélanger a appris ce que venait de faire son meilleur ami d'adolescence. Il en a été renversé, comme nous le sommes tous encore.

— Je ne lui pardonnerai jamais ce qu'il a fait. Ça n'a pas de sens. J'ai des enfants, et j'imagine le calvaire que vivent tous les parents qui ont perdu leur fille le 6 décembre 1989. Mon père et ma mère m'en parlent souvent. Ils portent eux aussi une profonde blessure qui ne guérira jamais. Ils l'aimaient, Marc. Nous l'aimions tous !

Marc n'a jamais compris ce qu'était l'amour, le vrai. C'est le contraire qui l'a envahi : la haine, la rancune, le ressentiment, le mépris, le dégoût, l'horreur.

J'ai appris qu'il est extrêmement difficile d'être parent. Un enfant vient au monde sans manuel d'instruction. Un petit être sans défense n'est pas un objet dont on dispose à sa guise. Les femmes ont beau se préparer à la maternité en apprenant à changer les couches ou à remplir les biberons, cela ne suffit pas. Une maman est beaucoup plus qu'une nourrice. Elle est à la fois l'infirmière qui soigne les blessures, la confidente qui apaise les petits malheurs, et la psychologue prête à désamorcer les querelles, sans nécessairement avoir toutes les connaissances nécessaires pour remplir tous ces rôles.

Je le confesse, je n'ai pas su être suffisamment attentionnée envers mes deux enfants et je me demande souvent si le geste meurtrier de mon fils visait à me punir pour l'avoir souvent abandonné pendant plusieurs années. Quand il était petit, il était très possessif et voulait toujours être avec moi, allant même jusqu'à me bouder quand je m'occupais de sa petite sœur. Très souvent, il m'en a voulu de ne pas être continuellement à ses côtés. Je me suis éclipsée de son existence à de nombreuses reprises, le laissant tantôt entre les mains d'adultes compétents, tantôt entre les griffes de gardiennes qui ne faisaient cela que pour l'argent.

Inconsciemment, la haine de Marc était peut-être dirigée vers moi parce que j'avais l'allure d'une femme émancipée. Il croyait probablement que j'aurais dû l'aimer beaucoup plus. En voulait-il aussi à sa sœur qui se moquait souvent de lui et le ridiculisait devant ses amis? Je suis convaincue que, dans son délire, il aurait pu s'en prendre à nous. Il a plutôt choisi de tuer quatorze étudiantes pour se venger de toutes les femmes qui l'avaient fait souffrir. Je ne le saurai jamais, mais je continue à croire que cela est probable.

Le 2 décembre 1989, quatre jours avant de passer à l'acte, Marc est venu me porter un cadeau pour mon anniversaire de naissance qui devait être célébré dix-huit jours plus tard. Je ne comprenais pas son geste anticipé.

— Pourquoi ne pas attendre le jour de ma fête? lui ai-je demandé.

Il était évasif et secret comme d'habitude. Je n'ai pas insisté. Il m'a remis un disque intitulé *Joyfull*, enregistré par les Bowker Brothers, deux pianistes chrétiens. Malgré le plan diabolique qu'il concoctait et qui me ferait presque mourir de chagrin, il voulait me faire plaisir une dernière fois et s'était rappelé mon goût prononcé pour ce groupe musical. J'avais donné une copie de ce disque à une de mes amies quelques mois plus tôt.

— Tu peux m'embrasser, m'a-t-il dit.

J'étais très émue et étonnée à la fois. Je l'ai embrassé avant qu'il retourne chez lui. Le grand gaillard de cinq pieds et dix pouces n'a pas bronché. C'était inhabituel. Depuis son adolescence, il ne m'avait jamais permis de le faire. Depuis son adolescence, cela le mettait mal à l'aise de recevoir un baiser de sa mère, peu importe le moment.

Je me suis mise sur la pointe des pieds pour être à sa hauteur, et ma bouche a frôlé sa barbe un court instant pendant que ma main caressait ses cheveux longs. J'imagine aujourd'hui tout ce qui devait lui trotter dans la tête. Il avait planifié sa sortie. Lorsqu'il s'est enlevé la vie, il était fraîchement rasé et sa chevelure épaisse et bouclée avait été coupée. En sortant de chez moi, cette journée-là, il s'est peut-être rendu directement chez le coiffeur. Je ne sais pas ce que cela signifiait pour lui. C'était peut-être une façon de s'affranchir du passé et démontrer qu'il n'avait plus rien à voir avec celui que j'avais mis au monde et tant aimé.

Le temps est triste et gris. Les arbres ont perdu toutes leurs feuilles. Il fait froid. L'hiver approche encore une fois, comme en 1989. Nous sommes en novembre et les anciens soldats de la Seconde Guerre mondiale vendent des coquelicots sur le coin de la rue, me rappelant que c'est le mois des morts.

C'est le moment qu'a choisi Monique Lépine pour visiter pour la première fois l'École polytechnique. Je lui avais déjà suggéré de le faire il y a plusieurs semaines. Mal à l'aise, elle avait poussé un soupir et changé rapidement de sujet. Elle n'était pas encore prête. Je n'ai pas insisté. J'ai donc été surpris, lorsqu'il y a quelques jours, elle m'a demandé de l'accompagner jusqu'à l'endroit où son fils s'est suicidé après avoir tué quatorze jeunes femmes. Dans un courriel très bref, elle m'écrivait que l'ancien directeur de l'école et son épouse, qui l'avaient invitée à dîner quelques semaines après le drame, acceptaient de la rencontrer à nouveau pour lui parler de Marc.

Nous roulions à bord de son véhicule quand elle m'a nerveusement confié qu'elle était fière de franchir une autre étape.

Cette incursion dans un lieu qu'elle avait toujours imaginé allait lui permettre de combattre ses démons et de finir son deuil. Pendant que nous montions l'étroit chemin conduisant à l'entrée principale de l'institution d'enseignement, elle a eu un vieux réflexe. Elle a mis ses lunettes de soleil, comme elle l'a fait souvent après la tragédie, afin que personne ne la reconnaisse dans la rue, encore honteuse de tout ce que son fils a légué à la société québécoise. L'ex-directeur intérimaire, Louis Courville, celui qui était en poste le soir du 6 décembre 1989, nous attendait avec impatience dans le hall de l'école et nous a présenté sa conjointe. Ils avaient tous les trois l'air de bons amis qui ne s'étaient pas vus depuis longtemps.

— Bonjour, madame Lépine, comment allez-vous ? m'a-t-il demandé tout simplement.

Le pire était fait. Après y avoir pensé toute la nuit et avoir eu beaucoup de difficulté à dormir, j'étais finalement dans le pavillon universitaire où mon fils a laissé son âme en se tirant une balle dans la tête. En ce début d'avant-midi que j'avais anticipé depuis plusieurs semaines, j'avais l'impression que Marc guidait mes pas lorsque j'ai emprunté l'entrée des étudiants, balayée par un courant d'air. Malgré cette sensation bizarre, mon cœur recommençait à battre normalement et j'éprouvais un sentiment d'apaisement en voyant tous ces étudiants bien en vie qui fourmillaient dans les corridors avec leurs livres dans les bras. Les jeunes femmes étaient plus nombreuses que les gars. Elles avaient pour la plupart des visages d'adolescentes qu'elles maquillaient d'airs sérieux pour paraître plus âgées. L'homme qui était devant moi en chair et en os me rassurait avec son allure de sage, mais il détonnait dans cet univers de verdeur.

J'ai toujours gardé un très bon souvenir de Louis Courville et de son épouse, Jeanne Dauphinais. Ce sont des gens extrêmement généreux. Quelques jours après la tuerie de l'École polytechnique, pendant la période des fêtes, ils m'ont invitée à partager un repas avec eux dans un restaurant du quartier Côte-des-Neiges. Ils avaient rencontré des parents des victimes de l'École polytechnique et voulaient me voir aussi. Je m'y étais rendue incognito en utilisant le métro. La rencontre fut brève mais m'a beaucoup touchée. Elle a fait partie de ma guérison et de ma volonté de ne pas en finir avec la vie.

— Vous êtes une victime vous aussi. Pour nous, c'était important de vous appuyer, de vous dire qu'on ne vous avait pas oubliée, me répète comme il y a dix-huit ans Louis Courville.

Le septuagénaire a le regard vif et le langage d'un érudit. Il a bourlingué jusqu'en Afrique, pour enseigner, avant de revenir s'installer pour de bon à Montréal dans les années 1980. Il n'a pas encore pris définitivement sa retraite et travaille deux jours par semaine dans cette école de quatre mille étudiants qu'il aime profondément comme si elle était sa maison. Il m'entraîne dans son bureau dont les murs sont tapissés de toiles qu'il a peintes pour se détendre durant les dernières années. L'une d'entre elles évoque la beauté du paysage des Îles-de-la-Madeleine. La mer agitée par la tempête frappe les dunes de sable fragiles et menace de les emporter.

— C'est aux Îles-de-la-Madeleine que mon épouse et moi avons rencontré, seize ans après la tuerie de l'École polytechnique, la mère d'une des victimes. C'était la seule que nous n'avions jamais vue et nous tenions à partager sa souffrance. Cela nous a marqués car cette femme était encore profondément blessée.

Le tableau de Léon Courville me fait penser au vent de tristesse qui a soulevé des vagues dans la vie de cette mère impuissante, après la mort atroce de sa fille.

La bourrasque l'a presque complètement détruite. Le peintre doit avoir ressenti que les forces du mal se déchaînent, au moment où on s'y attend le moins, et peuvent engloutir, en une fraction de seconde, tout ce qui a été construit au fil des ans. Une partie de l'existence de l'ex-directeur s'est elle aussi érodée depuis décembre 1989, car il a absorbé les nombreuses perturbations qui ont affecté les parents des étudiantes assassinées. Il a organisé les funérailles de la plupart des victimes et s'est fait par la suite un devoir de visiter tous ceux et celles qui le désiraient.

— Une famille, c'est ce qu'il y a de plus précieux. Nous sommes gâtés ; nous avons trois filles et dix petits-enfants. Nous comprenons ce que c'est quand vous perdez un enfant de façon aussi tragique, dit avec compassion son épouse, Jeanne Dauphinais.

Louis Courville acquiesce et dépeint le triste souvenir qu'il a conservé du conjoint d'une des jeunes femmes assassinées, venu le voir à son bureau en décembre 1989. Cet homme, en état de choc, ne parlait pas et le regardait l'air interrogateur. Les seuls mots qui sont sortis de la bouche du directeur venaient de son cœur.

— Je ne sais pas quoi vous dire, a-t-il murmuré.

— Je ne sais pas quoi vous répondre, a répondu le visiteur, démoli.

La conversation n'est pas allée plus loin, car seul le silence pouvait exprimer l'incompréhension. Il n'a pas besoin de m'expliquer, car c'est ce que j'ai longtemps vécu. Je n'ai trouvé rien de mieux que de me taire, pour essayer de trouver au plus profond de moi-même une petite voix intérieure, une réponse à ce qui s'était produit, à ce que j'aurais dû faire. Je me suis mise à penser aux enfants que j'ai perdus. Je les revoyais lorsqu'ils étaient petits, la première fois quand ils ont marché, m'ont serrée dans leurs

216

bras. On ne peut pas accepter que l'existence se termine aussi abruptement, sans explications.

Louis Courville ne s'en cache pas. Il s'est aussi réfugié dans un mutisme passager, traumatisé et angoissé par des cauchemars. Il a consulté deux fois un collègue de l'Université de Montréal, diplômé en psychiatrie, pour qu'il l'aide à évacuer ses pensées oppressantes. Il a encore en tête les images des victimes et celle de mon fils, le crâne fracassé par une balle, le soir du 6 décembre 1989.

— J'étais dans mon bureau, au deuxième étage de l'édifice quand le drame s'est produit. Il était environ 17 h 25 lorsqu'un étudiant, le fils du président de notre conseil d'administration, est entré en courant et en criant : il y a un tireur fou dans l'école ! J'entendais des coups de feu dans le corridor. Puis, quelques secondes plus tard, les balles tirées en rafales ont fait un bruit d'enfer, sous nos pieds, en frappant le plancher en béton du bureau. Je croyais qu'un autre tireur était dans la cafétéria, un étage plus bas. Le vacarme a duré quelques minutes et puis plus rien. On ne savait pas ce qui se passait. Était-ce une prise d'otages ? Qu'est-ce qu'ils nous voulaient ? Après un court instant, j'ai ouvert la porte. Je ne pourrai jamais oublier les scènes d'horreur.

En poursuivant sa narration des événements, son regard est devenu encore plus triste. Il s'est mis à fixer le mur devant lui comme s'il regardait un grand écran. Il revoyait le film de la tragédie. Lorsque sa vision a rejoint la mienne, il a constaté que la description des faits m'affectait beaucoup.

— Ça va aller ?

— Oui, ça va, vous pouvez continuer.

— J'ai appelé ma conjointe pour la rassurer et lui dire que j'étais en vie. Je savais qu'il y avait des blessés et je lui ai demandé de se rendre à leur chevet, dans les hôpitaux. Je suis resté à l'école jusqu'à 2 h 30 du matin pour réconforter les nombreuses familles qui accouraient et tentaient de savoir si leur fille avait été touchée. Ce n'est que tôt en matinée, après une courte nuit de sommeil agité, que j'ai obtenu les noms de toutes les victimes. J'ai téléphoné aux parents consternés. Ce fut la plus lourde tâche de ma carrière.

J'ai beaucoup de difficulté à imaginer que tout cela s'est réellement passé à quelques mètres de l'endroit où je suis assise. Louis Courville et son épouse devinent facilement mon angoisse et, pour me mettre à l'aise, m'expliquent que je ne suis pas la première à vivre cette difficile sensation. Plusieurs parents ont souhaité revenir sur les lieux de la tragédie quelques jours après les funérailles. C'était pour eux une façon de passer à une autre étape de la vie qui devait malgré tout se poursuivre.

— Je peux vous montrer si vous voulez, me demande délicatement M. Courville. Presque rien n'a changé.

— Nier, ne pas savoir, ne pas voir, serait la pire chose à faire. C'est ce que j'ai appris au fil du temps. Je suis prête à vous suivre !

Pendant que le couple m'entraînait dans l'antre de l'École polytechnique, j'appréhendais ma réaction lorsqu'il me montrerait les lieux du crime. Pour me réconforter, je pensais à ceux et celles qui perdent des êtres chers et qui sentent eux aussi le besoin de retourner là où ça s'est passé. Une image m'a marquée. Il y a quelques années, lorsqu'un vol de la compagnie aérienne Swissair s'est écrasé dans l'océan Atlantique, au large de la Nouvelle-Écosse, de nombreuses familles des victimes ont choisi de se rassembler sur la plage, près des lieux de la tragédie. Cela faisait partie de leur deuil. Ils ont aussi érigé un monument commémoratif près du phare du petit village de Peggy's Cove pour que les générations futures n'oublient jamais les disparus. Quelle que soit la façon dont nos proches meurent, nous ne voulons pas les oublier parce que nous les aimons. Ils continuent à faire partie de nos vies.

Louis Courville a senti le besoin de faire la même chose, deux mois après la tuerie. Une plaque, sur laquelle sont inscrits tous les noms des jeunes femmes assassinées, a été incrustée dans le béton du bâtiment universitaire, près de la porte d'entrée des étudiants. Il n'y a pas une journée qui passe sans qu'un regard ne soit attiré par cette inscription. Je ne l'avais jamais vue et je tenais à me recueillir devant. Le couple m'a guidé à l'extérieur. Je la croyais beaucoup plus grande. Elle est simple et modeste mais tellement significative. Il est inscrit *in memoriam*, puis sur deux colonnes symétriques on peut lire :

Geneviève **BERGERON**	Hélène **COLGAN**
Nathalie **CROTEAU**	Barbara **DAIGNEAULT**
Anne-Marie **EDWARD**	Maud **HAVIERNICK**
Maryse **LAGANIÈRE**	Maryse **LECLAIR**
Anne-Marie **LEMAY**	Sonia **PELLETIER**
Michèle **RICHARD**	Annie **ST-ARNEAULT**
Annie **TURCOTTE**	Barbara **KLUCZNIK WIDAJEWICZ**

J'ai pris le temps de lire chacun des noms et j'ai fait une prière pour les familles de ces victimes avant d'être guidée à nouveau dans les corridors de l'institution d'enseignement, où la vie battait son plein.

— Ici, c'est ce qu'on appelle le foyer. Les étudiants peuvent se reposer à cet endroit, m'explique Louis Courville. C'est par ce salon que votre fils est passé en premier.

Il m'explique que rien n'a changé. Tout semble immobilisé dans le temps. À gauche, de larges portes conduisent au bureau du registraire où les étudiants s'inscrivent pour suivre leurs cours. J'imagine Marc, assis devant les guichets, pendant de longues minutes, le 6 décembre 1989, son arme dissimulée dans un sac en plastique. Une employée, qui travaille toujours à cet endroit, a remarqué qu'il avait un air bizarre. Toujours secouée, même après tant d'années, elle me demande de taire son nom.

— Votre fils était assis sur une chaise et ne bougeait pas. Cela piquait ma curiosité, alors j'ai décidé de prendre une pause pour aller lui parler. Comme j'avançais dans sa direction, un étudiant qu'il semblait connaître a échangé quelques mots avec lui. Puis il est parti. Votre fils est cependant revenu quelques minutes plus tard et s'est installé sur un grand banc de bois, dans un coin de la salle. Intriguée, je me suis dirigée à nouveau vers lui et j'ai demandé si on lui avait répondu. Il n'a pas parlé, a fait semblant de ne pas me voir, s'est levé et est reparti.

Elle ne l'a plus revu. Lorsqu'elle a quitté le travail vers dix-sept heures ce jour-là, tout semblait normal. Ce n'est que quelques heures plus tard, en regardant la télévision, que cette employée a appris ce qui s'était passé. Elle ne savait pas encore qu'elle avait croisé le tueur.

En 1989, après les meurtres, des employés du bureau du registraire ont fouillé le dossier de Marc, à la demande des policiers. Louis Courville confirme que mon fils a fait sa demande d'admission à l'École polytechnique cette année-là, avant la date limite du 1er mars. Il voulait fréquenter l'institution, dès le mois de septembre, mais son rêve s'est écroulé. Je sais que Marc avait aussi tenté d'être admis en 1987.

— Il avait fait une technique en électronique au cégep et devait absolument terminer au moins deux cours collégiaux, dont un de chimie, avant d'être inscrit dans un programme de génie. Il ne l'a pas accepté, confirme l'employée du bureau du registraire. Vers le mois d'avril 1989, je me souviens qu'il est venu me voir pour qu'on en discute. J'étais surprise parce qu'il m'avait parlé avec amertume des femmes et de la place toujours de plus en plus grande qu'elles prenaient sur le marché du travail. Il ne trouvait pas cela normal.

En quittant cette employée du bureau de registraire, encore envahie par les paroles rétrogrades de Marc, nous nous dirigeons vers la coopérative étudiante. Louis Courville me fait remarquer que Marc connaissait bien l'École polytechnique. Il y était souvent venu avant sa mort. Les policiers ont retrouvé des copies de ses factures, à la coopérative étudiante, montrant qu'il avait acheté des livres et des articles scolaires à cet endroit quelques semaines et même quelques années avant sa mort.

Un peu plus loin, nous tournons à gauche et nous nous retrouvons dans un petit corridor sombre qui donne directement, à son extrémité, sur une porte barrée. Nous avançons très lentement dans l'étroit passage qui conduisit quelques-unes des étudiantes vers la mort. Ma gorge se noue. Je voudrais fuir.

— C'est ici que tout a commencé, dit sur un ton solennel Louis Courville. Le local C-230 sert aujourd'hui d'entrepôt mais en 1989 des finissants y suivaient des cours de génie mécanique. Après avoir séparé les filles des garçons, Marc a tiré une trentaine de coups de feu. Six jeunes femmes sont mortes, là où nous sommes !

Ses propos me glacent. Je ne tiens pas à en entendre plus. Je tourne les talons, rapidement suivie par mes hôtes. Ils sentent encore une fois mon malaise. Nos pas résonnent sur le sol tandis que nous prenons la direction des bureaux administratifs où une jeune secrétaire aux finances a été tirée à bout portant à travers une vitre. Je pense à son conjoint, à sa famille. En une fraction de seconde, la vie qu'elle avait mise des années à construire a été détruite, simplement parce qu'elle a tenté de fermer une porte au lieu de se cacher dans son bureau. Tout cela n'a aucun sens. Cette employée n'avait rien fait de mal. De quel droit Marc a-t-il pu décider de lui enlever tout ce qu'elle avait, tout ce qu'elle était?

Nous visitons ensuite la cafétéria, au rez-de-chaussée, où trois autres étudiantes ont péri. Je souffre mais je veux avoir l'air forte. J'ai choisi de venir ici pour me libérer à tout jamais de ce qui m'a continuellement terrifiée depuis dix-huit ans. Chaque fois que je passais près de l'École polytechnique, j'avais l'impression de me rapprocher d'une maison hantée. Elle me faisait si peur que j'empruntais les rues principales situées le plus loin possible du terrain de l'établissement scolaire. J'en étais malade.

J'ai encore de la difficulté à croire que je suis à l'intérieur de l'école. Je ne peux pas m'imaginer un seul instant que c'est mon fils qui a fait tout ce mal, qu'il a suivi le trajet que nous empruntons, marchant lourdement avec ses bottes Kodiak, tirant sur toutes les femmes qui bougeaient, des étudiantes comme celles que je croise sur mon passage. La plupart ont le visage enfoui dans leurs cahiers de notes, préparant, comme celles qui les ont précédés en 1989, leurs examens de fin de session d'automne.

Nous arrivons finalement au troisième étage. Encore une fois les couloirs sont exigus. Je les avais imaginés autrement, beaucoup plus larges et modernes. M. Courville et sa conjointe poussent une porte entrouverte.

— Nous sommes au local B-311. Rien n'a changé, à part les murs qui ont été repeints. C'est dans ce local que tout s'est terminé !

Il me regarde attristé et ajoute qu'il a vu tout ce qu'il y avait de plus épouvantable. Ses yeux parlent; cette image enfouie dans sa mémoire est devenue son tourment. Il attend que je lui pose des questions mais je reste muette, perturbée par tout ce que je devine en scrutant la pièce. J'ai appris avec le temps à dominer mes émotions, à véritablement me dissocier de mes sentiments pendant mes périodes les plus difficiles. Cette fois-ci, c'est impossible. La tension est trop forte. Mes mains sont moites, mon cerveau s'embrouille. Ma plaie vient de s'ouvrir à nouveau.

Je mets à peine les pieds à l'intérieur du local. J'ai peur d'étouffer. Je jette un coup d'œil furtif. Il n'y a pas de cours, mais un étudiant s'est installé au bureau du professeur, plongé dans ses livres. Il nous dévisage et se demande qui nous sommes. Il ne sait probablement pas ce qui s'est passé à l'endroit exact qu'il occupe, à l'avant de la classe. Des rideaux verts, placés devant les fenêtres ouvertes, flottent au vent. Les murs sont dénudés et tristes. D'anciens bureaux alignés, derrière lesquels prennent place habituellement deux étudiants à la fois, sont rattachés à des chaises de métal et de plastique rouge.

— C'était pendant un cours sur les matériaux. Marc a tiré puis poignardé sa dernière victime, Maryse Leclair, sur cette tribune. Il s'est ensuite assis à côté d'elle pour s'enlever la vie avec son arme à feu.

On m'a raconté la fin tragique tellement de fois qu'il me semble l'avoir vécue. Mes cauchemars m'ont souvent conduite dans cette salle de cours. Mon imagination ne cessait de reproduire dans ma tête des étudiants et des étudiantes qui fuyaient et les autres qui étaient prisonniers et hurlaient de peur. C'est vraiment ici que la réalité a dépassé la fiction.

— Personne n'aurait pu imaginer une chose pareille ! s'exclame Louis Courville.

L'homme est passé par ces lieux des centaines de fois pour apprivoiser tout le mal qu'il a vécu lorsqu'il a vu, étendus sur le sol, tous ces enfants inanimés qui auraient pu être les siens. Il a dû lui aussi réapprendre à vivre en ne cessant de s'interroger sur la raison du geste dément de mon fils.

— Il y en a qui disent que tout cela est fini et que ça ne sert à rien d'en parler continuellement. D'autres sentent le besoin d'en discuter. Moi, je pense que ça fait partie de la vie. Rien ne pourra être effacé. Il faut en parler sobrement, par respect pour ceux et celles qui survivent aux victimes et dont le mal ne pourra jamais disparaître.

Avant de partir, Louis Courville et son épouse m'embrassent. On ne se reverra peut-être plus jamais. Ils m'ont encore une fois traitée avec beaucoup de respect. Jamais ils n'ont prononcé le mot tueur ou assassin devant moi, des appellations qui font mourir lentement les parents dont les enfants sont devenus des criminels. J'allais sortir de son bureau lorsque l'ex-directeur m'a tendu un cartable aux couleurs de l'École polytechnique.

— C'est ce que nous donnons à tous les étudiants quand ils commencent la première année.

Son geste a un sens profond. Il sait que Marc aurait aimé recevoir un tel présent. Il aurait représenté à ses yeux une rare victoire, peut-être la seule qu'il espérait encore.

En retournant chez elle cette journée-là, Monique Lépine était fière d'avoir vaincu sa peur. Elle s'est mise à penser à tout ce qui se serait produit si son fils avait été admis à l'École polytechnique en 1989. Il aurait probablement accouru chez elle avec sa lettre d'acceptation dans les mains. Elle aurait fêté ce moment avec Marc, sa sœur Nadia, et des amis, en préparant encore une fois un excellent repas, le samedi soir. Rien de dramatique ne se serait produit.

Puis elle se met à douter. Son fils était certainement malade, même si rien ne le laissait croire. Il aurait tôt ou tard subi un autre revers dans sa vie professionnelle ou amoureuse et n'aurait trouvé qu'une seule voie : celle de la mort. Combien de jeunes gens comme lui risquent un jour de commettre des crimes parce qu'ils sont gravement affectés par des troubles mentaux qui ne seront jamais diagnostiqués ? Elle ne veut pas trop y songer. Après cette épuisante journée elle a hâte de rentrer à la maison pour écrire tout ce qui lui trotte dans la tête. Écrire ses émotions, pour éviter qu'elles ne dévorent son esprit, les coucher sur une feuille de papier, cela fait partie de sa thérapie qui n'en finit plus.

Le lendemain de cette visite à l'École polytechnique, Monique Lépine a eu beaucoup de difficulté à se lever de son lit et à fonctionner normalement. Elle revoyait constamment les locaux où le drame s'est produit et ne pouvait s'empêcher de pleurer. Elle a pris dans ses mains le cartable que Louis Courville lui avait donné la veille, s'est assise à la table de la cuisine de son modeste appartement, et s'est mise à écrire une lettre à son fils.

Marc, si tu savais tout le mal que tu m'as fait. J'ai vu hier, de mes propres yeux, jusqu'où ton délire t'a conduit. J'ai honte de toi ! Tu me fais souffrir. Je crois que tu tentes encore de me tuer tranquillement à petit feu pour que rien ne paraisse. Ce serait un crime parfait !

Ton nom, prononcé encore trop souvent dans les médias, empoisonne mon existence. Le Québec est toujours en colère. Je déprime en pensant à ce que tu as fait. Tu m'as fait perdre la flamme en moi. Parfois j'aurais préféré mourir. Il y a des jours où tout ce que j'arrive à faire c'est dormir pour tout oublier. Il y en a qui disent que tes parents sont certainement responsables de ce que tu as fait. Certains journalistes parlent de moi comme de la mère d'un monstre. Déjà que je n'avais pas une grande estime de moi. Là, je suis dévastée. Je leur souhaite de ne jamais vivre ça.

Toute ma vie, j'ai trimé dur pour que toi et ta sœur ayez le meilleur, mais voilà qu'au moment où vous deviez faire quelque chose de votre vie, vous n'avez trouvé rien de mieux que le suicide. Dans ton cas, Marc, tu as eu le front d'amener avec toi dans la mort quatorze jeunes femmes innocentes. Ta haine des féministes t'a fait perdre la raison. Je ne l'oublierai jamais!

Je ne suis pas responsable de ta décision. Tous les enfants qui ont manqué d'amour ne commettent pas des meurtres. Qu'est-ce qui t'a pris?

Savais-tu que, depuis ton départ, il m'arrive de passer des heures à ne rien faire, parce que je suis vidée et que je trouve la vie injuste? Par moments, je n'ai plus de passion. La routine l'emporte; rien ne m'intéresse. Présentement, les vêtements que je devrais repasser s'accumulent devant moi. Je les regarde depuis quatre jours mais je n'ai pas le goût. Je n'ai même pas la force d'entretenir et de décorer mon appartement. À quoi cela servirait-il? Personne n'y vient. Je préfère payer une femme de ménage et aller travailler à l'extérieur de temps en temps.

Présentement, Marc, il pleut. C'est noir, très sombre, et j'ai envie de pleurer, car je ne peux que constater tous les échecs d'ordre émotif dans ma vie. Je n'ai pas été capable de vous garder, d'avoir un homme qui aurait pu m'aimer et te donner de l'affection à toi aussi. Vous m'avez tous abandonnée. Je n'intéresse personne. Ton geste dément m'a culpabilisée assez longtemps. Je ne veux plus de cette responsabilité malsaine. Je ne veux plus que tu me contrôles.

J'ai droit à une autre chance. Je veux être heureuse pour les vingt ou vingt-cinq ans qu'il me reste à vivre. Je veux qu'on me gâte, qu'on m'apprécie. Je ne suis pas différente des autres femmes. Je ne suis pas que la mère d'un tueur!

Toutes les émotions s'entrechoquaient encore une fois dans son cerveau. Monique Lépine ne réussissait plus à écrire toute la peine et la rage qui l'habitaient. Elle déposa son crayon sur la table et se mit encore une fois à pleurer. Elle avait vécu un moment de tristesse intense, quelques heures plus tôt, à l'École polytechnique, et savait qu'il serait moins lourd à porter si elle lui donnait une forme, si elle l'exprimait par écrit. En pareille circonstance, c'était la chose la plus saine que lui avait montrée à faire son travailleur social. De cette façon, elle avait vraiment l'impression de parler à son fils, de ne pas tout garder en dedans, de faire sortir le mal.

Elle a appris, au fil du temps, comment traiter ses blessures émotives, mais elle sait qu'elles ne pourront jamais complètement se cicatriser. Il y aura toujours de la douleur, des hauts et des bas. Aujourd'hui, elle sombre dans la morosité, mais demain elle pourra à nouveau, comme c'est souvent le cas, être radieuse et débordante d'énergie. La septuagénaire connaît trop bien la signification du dicton « un jour à la fois ».

Elle a déjà songé à fuir, à se cacher, à changer son nom pour ne pas qu'on l'associe au drame. Cela ne servirait à rien puisqu'elle ne pourrait pas se mentir à elle-même et porterait toujours dans son esprit les séquelles de la tragédie. Ce qui fait sa force, selon ses thérapeutes, c'est qu'elle est une battante. Malgré tout ce qui lui est tombé sur la tête, et sa chute dans un abîme d'où plusieurs ne seraient jamais ressortis vivants, elle s'est agrippée aux parois glissantes de l'espoir : espoir de s'en sortir, de comprendre, de rencontrer un jour celui ou celle qui allait lui expliquer mieux que tous les autres pourquoi Marc s'est transformé en véritable boucher.

Comprendre ce qui s'est passé, expliquer pourquoi mon fils a commis un geste aussi dément, cela pourrait être le début de l'acceptation. Accepter qu'il ait été malade, fou, ou quoi encore. Je pourrais retrouver une certaine paix intérieure. Je croyais que tout cela serait beaucoup plus simple que prévu lorsque j'ai commencé véritablement à me questionner à la fin du mois de janvier 1990.

J'avais conservé le numéro des enquêteurs qui s'étaient occupés de moi après la tuerie.

— Si vous avez besoin de quoi que ce soit, nous sommes là, me répétaient-ils.

Je leur avais écrit une lettre pour les remercier. Naïve, j'étais convaincue que seule la police de Montréal pouvait m'apprendre ce qui s'était produit dans la tête de mon fils. L'enquête avait certainement révélé des faits troublants et inconnus du public, des vérités que seules les familles des victimes, et la mère du tueur, connaîtraient un jour. Confiante d'obtenir des réponses, j'ai attendu un coup de fil ou une rencontre, mais aucun officier de l'état-major de la police de Montréal n'a pris la peine de m'éclairer. Je n'existais pas pour eux. J'ai dû me contenter de tout ce qu'on racontait, à tort ou à raison, dans les médias, et du volumineux rapport du coroner que j'ai finalement eu la force de lire plusieurs années après le drame.

Chaque détail morbide, inscrit par les pathologistes et raconté froidement, me faisait frissonner. Je ne réussissais à décoder qu'un seul message réprobateur dans cette analyse médicale et psychologique, et dans tous les textes des journaux, comme si les autorités criaient au reste du monde :

— Madame Lépine, votre fils a tué de sang-froid quatorze jeunes femmes innocentes et la faute vous en incombe !

Et vlan ! Oublions l'humeur compatissante. Ça ne doit pas exister pour la mère d'un assassin, parce que dans le fond, c'est elle qui l'a mis au monde et éduqué. À qui revient le péché quand le meurtrier s'est fait sauter la cervelle et n'est plus là pour témoigner ? À la société ? Absolument pas, car la société ne connaissait pas Marc Lépine et ne s'en préoccupait pas. Il était un être parmi tant d'autres dans un monde individualiste et s'est rendu malheureusement célèbre en s'appropriant le sang des autres. Les policiers qui n'ont pas pu l'arrêter avant son carnage sont-ils responsables ? Non plus. Ils ne pouvaient pas savoir.

Il faut bien que quelqu'un soit coupable. Plusieurs citoyens m'ont déjà condamnée sans me connaître et écouter ma défense. Je les entends encore dire que Marc Lépine vient d'une famille dysfonctionnelle et que sa mère ne l'a pas éduqué ! J'étais certaine que des policiers étaient de ce nombre. Il était préférable de me tenir très loin d'eux, comme je le faisais déjà avec les journalistes.

*Parce qu'elle se méfiait de la police de Montréal, Monique Lé-
pine ne s'attendait pas à rencontrer un jour ceux qui ont enquêté
sur la mort de son fils. Je lui ai suggéré de revenir à la charge et
d'exiger des réponses.*

*— Les années passent et il faut savoir oublier et pardonner,
m'a-t-elle dit pour m'approuver. Le temps arrange souvent les
choses.*

*En 1989, Jacques Duchesneau n'avait pas encore été nommé
chef du Service de police de Montréal. Il occupait le poste de directeur de la division du crime organisé. Le soir du 6 décembre
1989, il allait chercher ses jeunes enfants à l'école située tout
près des lieux du drame. Comme c'était l'anniversaire de la mère
de ses enfants, il avait d'abord fait une halte chez le fleuriste.
Une fois chez son ex-conjointe, il a entendu à la radio l'inquié-
tante nouvelle. Une prise d'otages se déroulait à l'Université de
Montréal. Il n'a fait ni une ni deux et s'est précipité à l'École
polytechnique. Il y est resté jusqu'aux petites heures du matin.*

Lorsque je lui ai téléphoné et demandé s'il voulait rencontrer la mère de Marc Lépine, il n'a pas hésité un seul instant. Nous nous sommes donc retrouvés, tous les trois, dans un restaurant de la rue Crescent, à Montréal.

Je l'avais déjà vu à la télévision. Il paraît plus jeune en personne. Avec ses cheveux grisonnants, le doux plissement de ses yeux, ses vêtements élégants et ses boutons de manchette, il dégage une dignité certaine. Il s'est dirigé vers moi, avec son sourire radieux d'homme public, et m'a serré chaleureusement la main.

— Bonjour, madame Lépine, ça faisait longtemps que je voulais vous rencontrer.

Sa simplicité m'a rapidement mise à l'aise. Je lui ai raconté mes mauvaises expériences avec la police et mon désir d'en savoir davantage sur mon fils. Il m'a écoutée avec empathie, une qualité qu'il a développée alors qu'il était enquêteur. Pour recevoir les confidences des victimes qu'il défendait, et des meurtriers qui le rebutaient, il devait se mettre à leur niveau et être rempli de compassion pour les premiers ou simplement de compréhension pour les seconds.

Jacques Duchesneau me confie qu'il a bien failli partir à ma recherche en 1999. Le vice-président et éditeur adjoint du journal *La Presse*, Claude Masson, l'avait rejoint. Il espérait qu'il me retrouverait, dans le but de participer à un article sur le dixième anniversaire du drame de l'École polytechnique. M. Masson est mort, quelques jours plus tard, dans un accident d'avion et le projet n'a jamais vu le jour. De toute façon, je les aurais certainement déçus. Je n'étais pas encore prête à me dévoiler.

— Madame Lépine, le drame de l'École polytechnique m'a profondément marqué. J'avais le cœur déchiré en voyant tous ces parents qui perdaient leur enfant. Je pensais aussi à vous et je veux que vous sachiez qu'aucun policier ne vous en voulait. On ne vous l'a peut-être jamais dit avant aujourd'hui, mais vous aussi vous étiez et vous êtes toujours une victime.

Ses propos sont réconfortants. On imagine toujours les policiers distants avec peu de sentiments. Lorsqu'ils n'ont pas leur uniforme sur le dos et ne jouent plus le rôle de parfait citoyen, la plupart de ceux que j'ai croisés étaient très attentionnés malgré la crainte que j'en avais.

Jacques Duchesneau m'apprend qu'il n'a pas participé directement à l'enquête policière. S'il était à l'École polytechnique en 1989, c'était davantage pour donner un coup de main à ses collègues de la section des homicides. Bilingue, il avait été désigné pour organiser de nombreuses conférences de presse et répondre aux questions des journalistes anglophones, provenant de partout dans le monde. Il était au courant de tout ce qui se passait et devait quelquefois jongler avec les mots pour ne pas nuire au travail des détectives. Les quatorze meurtres, perpétrés de sang-froid, étaient une abomination pour tous les policiers en devoir ce soir-là, mais cela ne devait pas paraître. Comme ses collègues, Jacques Duchesneau avait le devoir d'expliquer la tuerie, tout en conservant un calme exemplaire visant à rassurer la population.

— Est-ce que vous savez pourquoi Marc a fait cela ? lui ai-je demandé, comme s'il pouvait m'apprendre des faits nouveaux.

— Il y a des choses dans la vie qu'on ne pourra jamais expliquer. Votre fils était probablement un grand malade et tout le monde l'ignorait. Est-ce qu'on aurait pu l'empêcher de commettre tous ces meurtres ? C'est le remords que nous avons tous. Malheureusement, on ne pourra jamais tout prévoir et promettre une sécurité totale partout. Dire le contraire, ce serait mentir. On peut cependant travailler à améliorer cette sécurité. Le drame de l'École polytechnique était une première en Amérique du Nord. Qui aurait pu imaginer cela ? Cela a été une grande leçon pour la police. Même nos confrères des autres grandes villes canadiennes et américaines se sont inspirés de nos rapports. On s'est mis à penser différemment et à mettre en place de meilleurs services d'urgence. Cela nous a entre autres permis d'éviter le pire lors de la fusillade au collège Dawson de Montréal en septembre 2006. L'assassin, Kimveer Gill, a tué une étudiante et a blessé dix-neuf autres personnes avant de s'enlever la vie. Il aurait pu y avoir beaucoup plus de victimes. Et que dire aussi de la fusillade de l'université Concordia, à Montréal, en 1992 ? Le professeur de génie mécanique, Valéry Fabrikant, a tué quatre de ses collègues de travail, mais les policiers sont rapidement intervenus pour limiter les dégâts.

J'aurais tant voulu que les policiers arrêtent mon fils avant qu'il commette l'irréparable. Pourquoi n'ont-ils pas réussi ? Pourquoi ? Ce mot, je l'ai prononcé des dizaines de fois au cours de ma rencontre avec Jacques Duchesneau. Impuissant à répondre à mes questions, il m'a promis de tout faire pour que j'obtienne des explications.

— Le responsable de l'enquête, en 1989, était mon collègue André Tessier. Il est aujourd'hui à la retraite, mais je suis convaincu qu'il pourrait vous aider. Laissez-moi lui parler. Il en sait beaucoup plus que moi sur votre fils.

Avant de repartir vaquer à ses occupations, il s'est approché de moi, me confiant qu'il s'est toujours demandé comment j'ai pu survivre à la perte de mes deux enfants.

— La vie doit continuer, lui ai-je simplement répondu.

— Racontez votre vie à ceux et celles qui veulent l'entendre. Dans ma carrière, j'ai tellement rencontré de gens malheureux ; je suis certain que vous allez les aider.

Les paroles de Jacques Duchesneau m'ont rassurée. En le regardant quitter le restaurant, la tête haute de fierté parce que nous nous étions finalement rencontrés, je me suis dit que moi aussi je devais être satisfaite de ce qui venait de se passer. Même si j'avais toujours énormément d'interrogations, j'avais franchi un pas important en me réconciliant avec la police.

Il a soixante-deux ans mais ne fait pas son âge malgré ses che-
veux gris clairsemés. À une période de leur vie où certains com-
mencent à ressentir le poids des années, il a encore un physique
athlétique et une énergie débordante. Même s'il est à la retraite
depuis peu, après avoir passé quarante-deux ans dans la police,
il parle encore de son métier avec passion. André Tessier était le
directeur des crimes contre la personne de la police de Montréal et
le responsable de l'enquête sur la tuerie de l'École polytechnique.
Monique Lépine ne l'avait jamais rencontré auparavant. Elle
avait plutôt eu affaire aux hommes qu'il dirigeait d'une poigne
de fer.

Il s'est avancé vers elle, fidèle à l'image qu'on se fait d'un
détective, vêtu d'un impeccable complet gris, lui donnant la fière
allure d'un homme de pouvoir. Malgré la force de caractère qu'il
dégage, il lui confie qu'il ne pourra jamais oublier ce qu'il a vécu.
Rien, même pas les meurtres les plus sordides et sadiques qu'il
a résolus durant sa longue carrière, ne l'avait préparé à un tel
carnage.

— J'ai tenté de vous protéger le plus possible en 1989 en vous envoyant à nos frais dans un hôtel pour ne pas que les journalistes vous poursuivent, lance-t-il pour briser la glace.

Je m'en souviens très bien, mais je ne voulais pas y aller. Lors de mon divorce, plusieurs années plus tôt, je m'étais réfugiée dans un hôtel minable du centre-ville de Montréal, traumatisée et abandonnée. Il n'était pas question que je revive la même chose. Il comprend et esquisse un sourire.

— Je trouve que certains policiers m'ont traitée comme une criminelle en 1989 !

— Pourquoi ?

— Ils m'ont questionnée pendant des heures comme si j'étais coupable ! Ce n'est pas moi qui ai tué quatorze personnes, c'est mon fils !

Je parle un peu fort, assise à une table, au fond d'un restaurant familial de l'est de Montréal, et une jeune serveuse, qui n'était probablement pas au monde en 1989, est surprise d'entendre parler de meurtres. Elle prête une oreille indiscrète et se rapproche malhabilement pour mieux saisir ce que je dis. Il n'y a pas si longtemps, je me serais cachée. Je me surprends à ne plus ressentir le déshonneur qui m'a tant oppressée durant près de deux décennies.

— Vous n'êtes pas coupable. Vous n'avez jamais été coupable. Aujourd'hui, dix-huit ans plus tard, vous cherchez des réponses. Dans ce temps-là, le monde entier nous regardait et voulait savoir ce qui s'était passé. Il était de notre devoir de comprendre en interrogeant les proches de Marc, me dit-il sur un ton rassurant.

Il me raconte que le soir du 6 décembre 1989, il participait, avec d'autres collègues, à une activité sociale au bureau de la gendarmerie royale du Canada (GRC) à Montréal lorsque quelqu'un est venu lui dire que l'officier en devoir, au quartier général de la police de Montréal, tentait de le rejoindre.

— J'ai aussitôt communiqué avec lui et il m'a dit de me rendre rapidement à l'École polytechnique parce qu'il y avait une prise d'otages. Je n'en savais pas plus sur le moment. Les rues étaient enneigées. L'humidité hivernale de la métropole me transperçait le corps. La circulation était lente. Je roulais dans la gadoue. Je suis arrivé sur les lieux vers 18 h 30 alors que les premières balles avaient été tirées vers 17 h 10. C'était la panique. Tout le monde courait. J'ai tout de suite demandé du renfort même si de nombreux policiers et ambulanciers étaient déjà sur place.

Cette soirée-là, il me raconte qu'exceptionnellement une soixantaine d'enquêteurs des crimes contre la personne de la police de Montréal étaient en devoir. Ils tentaient d'élucider le meurtre d'une adolescente retrouvée démembrée dans la carrière Miron.

— Je leur ai dit de suspendre cette enquête et de venir me rejoindre sur-le-champ. On croyait tout d'abord qu'il y avait deux tireurs à l'École polytechnique mais cela a été très tôt démenti. Plus on avançait dans l'immeuble, plus on découvrait de cadavres. J'ai retrouvé moi-même deux étudiantes criblées de balles à la cafétéria. Elles avaient des visages d'adolescentes. Je ne pouvais m'empêcher de penser à ma fille de treize ans. Mes sentiments étaient partagés entre la tristesse et la colère. C'était la même chose pour mes collègues. Nous devions agir de façon professionnelle, laisser nos émotions de côté et procéder le plus rapidement possible.

André Tessier fait une légère pause avant de continuer son compte rendu. Il ressent encore toute l'horreur des crimes qu'il a vus en décembre 1989.

— Nous venions de découvrir quatorze victimes et votre fils, dispersés en six endroits différents. Il y avait aussi quatorze blessés, dont certains étaient dans un état grave. Ça me faisait penser à la guerre civile à Beyrouth qu'on nous montrait à la télévision chaque soir. J'ai réuni tous mes hommes pour faire le point et j'ai ordonné qu'ils ouvrent ou défoncent chaque porte de l'école s'il le fallait pour vérifier s'il y avait d'autres victimes cachées et peut-être agonisantes. Le drame de l'École polytechnique fut l'événement le plus difficile de ma carrière, conclut-il dans un soupir.

Le policier n'est pas différent des autres témoins que j'ai rencontrés jusqu'à maintenant. Même s'il s'est fabriqué une carapace au fil du temps, une armure pour protéger sa sensibilité de père de famille, ses yeux se remplissent d'eau quand il évoque ce bain de sang. Il pense souvent à tous les parents des victimes et inévitablement à son collègue, le policier et relationniste Pierre Leclair, qui a perdu sa fille Maryse dans cette tragédie.

— Pierre est un de mes bons amis. Nous avons reçu notre formation ensemble au début de notre carrière. Je l'ai vu quand il a découvert sa fille assassinée. Il était démoli, en état de choc, et blanc comme la neige qui continuait à tomber sur la ville. Cette image me revient constamment en tête dans mes mauvais rêves. J'étais désemparé. Alors je l'ai pris dans mes bras et tout ce que j'ai trouvé à lui dire c'est: « Bon courage » !

André Tessier s'est rapidement demandé pourquoi Maryse Leclair a été la seule des victimes poignardée par mon fils, ce qui aurait pu lui laisser croire à un meurtre passionnel. Il a tout d'abord vérifié si Marc et Maryse se connaissaient. Certains indices semblaient indiquer qu'ils avaient travaillé tous les deux à l'hôpital Saint-Jude de Laval au milieu des années

1980. Mais aucun des nombreux témoins rencontrés ne les avait jamais vus ensemble. Les enquêteurs ont par la suite découvert que Marc conversait souvent au travail avec une lointaine parente de Maryse, toujours prête à l'écouter. Leur relation n'était pas amoureuse mais très amicale. La jeune femme occupait un poste dans le petit établissement de santé dirigé par Jean-Marie Leclair, un cousin du père de Maryse.

— Une chose est claire, explique André Tessier, c'est un pur hasard si Marc est entré dans la salle de classe où était Maryse. Il ne pouvait pas savoir qui elle était parce qu'elle lui faisait dos quand il a tiré dans sa direction. Elle portait un chandail à col roulé rouge, qu'elle venait d'acheter en prévision de la fête de Noël, et terminait une présentation devant la classe. Elle écrivait au tableau. La balle qui a touché la jeune femme de vingt-trois ans n'était probablement pas mortelle selon le pathologiste. Marc s'est ensuite dirigé vers le fond de la classe en tirant sur d'autres étudiantes puis est revenu vers l'avant. C'est à ce moment qu'il a entendu les gémissements de Maryse et l'a poignardée à trois reprises avec un couteau de chasse. L'un de ses coups a été fatal.

La façon qu'il a de présenter les choses me semble logique, mais je suis tout de même sceptique.

— Quand il a poignardé Maryse, pourquoi a-t-il dit « *Oh shit!* » ? Est-il possible qu'il l'ait déjà rencontrée auparavant et qu'il l'ait finalement reconnue ?

— Tous ses amis vous le diront, madame Lépine, Marc utilisait souvent cette expression. Ça ne veut rien dire !

De nombreuses questions me trottent dans la tête. Pourquoi Marc n'a-t-il pas utilisé à nouveau son arme à feu pour achever Maryse ? Avait-il oublié qu'il venait de déposer, comme le mentionne encore une fois le rapport du coroner, deux boîtes contenant vingt balles chacune sur le bureau du professeur? Une autre boîte de vingt balles a aussi été retrouvée sur une chaise à l'avant de la classe.

— C'est simple, insiste André Tessier, s'il n'a pas réutilisé l'arme à feu pour atteindre Maryse, c'est parce qu'il ne restait qu'un projectile dans son chargeur. Il voulait le conserver pour se suicider. Il se dépêchait, car l'alarme avait été donnée. Il n'avait pas le temps de mettre de nouvelles cartouches dans le chargeur, car il craignait alors d'être attaqué par des étudiants ou des professeurs avant de terminer son œuvre.

Mon regard est interrogateur. L'ex-enquêteur s'aperçoit qu'il n'a pas totalement réussi à me convaincre.

— Si Marc avait voulu s'en prendre à Maryse, il se serait d'abord dirigé vers elle, au début de la tuerie, craignant qu'elle puisse s'enfuir. C'est ainsi que procèdent habituellement les meurtriers lors de crimes passionnels. Ce n'est pas ce qu'il a fait. Dans la lettre d'adieu de trois pages, retrouvée dans son veston, Marc aurait aussi mentionné le nom de Maryse, au côté des dix-neuf autres femmes publiques à qui il en voulait. Il n'a jamais écrit ni prononcé le nom de Maryse devant qui que ce soit. Nos conclusions sont sans équivoque : il ne la connaissait pas et s'en est pris à d'innocentes victimes qui étaient au mauvais endroit au mauvais moment.

L'enquête de la section des crimes contre la personne a duré près d'un mois. L'équipe d'André Tessier a reconstitué les allées et venues de mon fils en interrogeant des centaines de témoins. Une seule caméra de surveillance était installée à l'entrée de l'université et n'a jamais capté l'image de Marc. Pendant plus d'une semaine sa photo a été placardée à plusieurs endroits de l'École polytechnique et les étudiants ont pu venir raconter confidentiellement ce qu'ils savaient à des détectives postés en permanence dans un local de l'institution. C'est ainsi que les fins limiers ont déterminé que mon fils a été vu à au moins sept reprises à l'École polytechnique entre le 1er octobre et le 6 décembre 1989.

Toute sa vie a été passée au peigne fin. André Tessier a appris que Marc mijotait son coup d'éclat depuis longtemps.

— En 1987, il a été congédié de son poste de préposé aux cuisines de l'hôpital Saint-Jude de Laval en raison de son attitude agressive envers les patients et les autres employés. Marc a reçu deux mille quatre cents dollars comme prime de séparation. Il était hors de lui et a confié à un témoin qu'il se vengerait un jour en mettant le feu, en tuant quelqu'un et en se suicidant ! À partir de ce moment, il n'a plus jamais parlé de son plan diabolique à personne mais l'a sûrement préparé avec minutie.

Deux ans plus tard, il était prêt à passer à l'acte. Il a tout d'abord acheté légalement son arme à feu, en septembre 1989, dans un commerce de la rue Saint-Hubert. C'était une puissante carabine semi-automatique de marque Sturm Rugger. Où a-t-il appris à tirer ? Il n'y avait aucune arme chez moi. Tout ce qu'André Tessier peut me dire c'est que, durant son adolescence, Marc aurait pratiqué le tir à la carabine chez des amis qui demeuraient à la campagne. Il était selon lui assez habile. Il avait fait une demande d'autorisation d'arme à feu à la Sûreté du Québec trois mois avant la tragédie et l'a obtenue. Les règles étaient beaucoup plus souples à cette époque-là.

Afin de se déplacer pour commettre ses crimes, Marc a ensuite loué une voiture de marque Tempo, au centre-ville de Montréal, durant l'après-midi du 5 décembre 1989. Elle a été retrouvée par la police deux jours plus tard aux abords de l'université.

— Nous avons rencontré le père de Marc afin de lui poser quelques questions sur son garçon. Il demeurait toujours à Montréal en 1989 mais n'a pas voulu collaborer. Il n'avait pas revu son fils depuis dix-huit ans et ne voulait pas nous voir non plus. Nous avons dû utiliser un subterfuge pour l'approcher. Ça n'a pas donné grand-chose. Tout ce qu'il nous a dit, c'est qu'il a élevé ses enfants comme un père devait le faire.

Je suis abasourdie lorsque j'entends de tels propos. N'aurait-il pas pu aider son fils avant qu'il commette l'irréparable ? Pourquoi n'a-t-il pas assisté aux funérailles ? Cela aurait été la moindre des choses. André Tessier constate mon exaspération et demeure très discret sur les autres propos tenus par mon ex-conjoint. Il ne sait pas s'il réside encore dans la métropole et répète à plusieurs reprises qu'il ne veut pas me faire de peine. Qu'importe ma fragilité, je veux connaître la vérité et je suis prête à entendre toutes ses révélations.

— Notre enquête a montré que Marc vous en a voulu de l'avoir confié à des gardiennes quand il était jeune. Il en parlait régulièrement à quelques-uns de ses meilleurs amis.

Ces paroles me frappent comme un boulet en plein cœur, car elles confirment ce que je n'ai jamais voulu m'avouer. Marc voulait toujours être avec moi. Il devait se sentir rejeté quand je le confiais à d'autres femmes car, pour lui, elles ne symbolisaient pas l'amour maternel. Mais je n'avais pas le choix. J'ai dû travailler. Je ne pouvais pas rester avec mes enfants. Le père de Marc n'a jamais payé de pension alimentaire et je n'avais pas les moyens de le poursuivre en justice. Les saisies automatiques de pensions n'existaient pas encore. Quand je me suis plainte aux policiers, tout ce qu'ils ont trouvé à faire, pour vérifier si je mentais, c'est envoyer deux détectives chez moi, à six heures du matin, pour vérifier si un homme, mon ex-mari ou encore un nouvel amant, se cachait dans mon appartement.

— Marc aurait-il pu me haïr au point de me tuer?

— Je ne crois pas. Il était très malheureux mais vous respectiez car vous étiez sa mère. Je sais par contre qu'il était exaspéré par sa sœur. Il a déjà souhaité sa mort et s'est confié à des copains. Nadia le ridiculisait et le traitait d'homosexuel parce qu'il n'avait pas de petite amie. Effectivement, Marc n'a jamais eu de copine, mais il n'était pas gai. Il ne réussissait pas à établir une relation amoureuse. Certains ont raconté qu'une jeune fille de son collège était enceinte de lui. C'est totalement faux.

Mon étonnement est à son comble quand André Tessier rapporte que la déchéance de Marc s'est particulièrement manifestée en 1986, trois ans avant la tuerie.

— Cette année-là, Marc fréquentait le cégep Saint-Laurent, en électronique, après avoir abandonné, pour une raison inexpliquée, sa formation en sciences pures. Il avait toujours eu d'excellentes notes, de loin supérieures à la moyenne, mais pour la première fois il montrait d'importantes difficultés scolaires. Il suivait six cours, mais en a abandonné un en plus de connaître cinq échecs consécutifs. Il a suivi deux autres cours durant l'été et a encore une fois échoué. Que s'est-il passé? Nous avons fouillé et trouvé une explication possible. Cela coïncidait, notamment, avec le moment où vous lui avez demandé de quitter votre appartement et de voler de ses propres ailes. Il était furieux parce que, pendant ce temps-là, vous hébergiez votre fille. Vous auriez pourtant dit à Marc que Nadia n'aurait pas de traitement de faveur. Elle devrait elle aussi se trouver un gîte.

— Je n'ai jamais demandé à Marc de s'en aller! C'est lui qui voulait partir. Et puis Nadia sortait du centre jeunesse de Laval et ne résidait pas toujours chez moi. Je venais de déménager dans un petit appartement d'une pièce et demie, sur le chemin de la côte Sainte-Catherine, afin de réduire mes dépenses.

— Votre fils n'avait pas beaucoup d'argent, ajoute M. Tessier. Il s'est probablement encore une fois senti abandonné par vous.

Mon interlocuteur me laisse sans voix. Jamais je ne m'en suis rendu compte. Marc ne m'en a jamais parlé. J'ai même été l'aider à aménager et à peinturer son premier appartement. Je croyais qu'il goûtait sa liberté. Le policier m'apprend aussi que c'est à partir de ce moment que l'antiféminisme notoire de Marc s'est exacerbé. Il racontait souvent à ses amis que les femmes brisaient sa vie.

— Son comportement antisocial avait été détecté par les recruteurs de l'armée, au cours d'entrevues réalisées en janvier 1982, au moment où il tentait de devenir élève-officier. Il s'est amplifié. Il vivait davantage reclus dans sa chambre et permettait rarement à ses colocataires d'y pénétrer.

Je me suis toujours demandé s'il était véritablement conscient des actes irrémédiables qu'il allait commettre lorsqu'il est entré à l'École polytechnique.

— Croyez-vous qu'il ait eu conscience de ce qu'il faisait?

— Votre fils était d'un calme exemplaire. Il semblait en pleine possession de tous ses moyens. Il voulait passer à l'histoire. Plus personne de son entourage, surtout pas votre fille, n'oserait le comparer à un vaurien.

Quelquefois, lorsqu'il est seul et qu'il repense à toute cette histoire, et cela arrive encore trop souvent, André Tessier ne peut s'empêcher de revoir tous les visages de ces jeunes femmes qui sont mortes pour rien. L'enquête policière a permis de recueillir des boîtes et des boîtes de documents et de renseignements confidentiels, précieusement conservées à l'abri des journalistes. Cela n'empêche pas André Tessier de chercher encore des réponses à certaines de ses questions.

— Malgré notre imposante enquête, nous ne connaîtrons jamais toute la vérité. En mourant, votre fils a emporté avec lui ses secrets. Nous ne savons pas vraiment ce qui se passait dans son cerveau même si des psychiatres, qui ont collaboré avec nous, ont tenté de tracer son portrait psychologique. Selon eux, il n'avait pas de maladie psychiatrique. Il était cependant narcissique, antisocial, et extrêmement sensible aux rejets et aux échecs. Il avait un imaginaire violent et grandiose qui cherchait à réparer son sentiment d'impuissance et d'incompétence.

On aurait dit que l'ex-détective Tessier ressentait depuis longtemps le besoin de me parler, que cela était tout aussi libérateur pour lui que pour moi.

— Je ne voudrais pas être à votre place, madame Lépine. En répondant à vos questions, en vous confiant comment je vois personnellement les choses, je voulais simplement vous aider à passer à une autre étape de votre vie.

Je comprends maintenant pourquoi les policiers m'ont posé autant de questions quand ils m'ont interrogée le lendemain du drame. J'aurais fait la même chose qu'eux. Ils voulaient, entre autres, valider tout ce que Marc avait raconté sur moi durant les années précédant sa mort.

La rencontre tirait à sa fin. J'étais épuisée. Je savais qu'en soirée, seule, j'allais repenser à tout cela comme je le faisais régulièrement. La culpabilité allait me tenailler encore une fois.

— Croyez-vous, monsieur Tessier, qu'on va toujours entendre parler de la tuerie de l'École polytechnique, ou est-ce que ce livre va mettre un terme à cette triste histoire ?

— Malheureusement pour vous, on ne cessera pas de s'en rappeler. Il y aura toujours des parents, des amis des victimes pour en discuter publiquement et témoigner de la disparition de quatorze jeunes femmes innocentes.

André Tessier sera de ceux-là. Dans de petits cahiers, il a écrit les souvenirs qu'il a conservés de la tragédie. Il les léguera un jour à ses enfants, qui les transmettront ensuite à ses petits-enfants. Ils pourront en faire ce qu'ils veulent, mais il ne veut pas qu'ils oublient ce qui s'est véritablement passé le 6 décembre 1989 à l'École polytechnique de Montréal. Pour lui, c'est une autre façon d'exorciser la mort qui a trop longtemps fait partie de son quotidien, et surtout c'est pour empêcher que cela se reproduise. Il a pris davantage conscience que personne n'est à l'abri d'un tel drame. Cela a été beaucoup trop horrible pour tout le monde, y compris pour un de ses meilleurs amis et collègue, le policier Pierre Leclair, qui vivra à tout jamais avec l'image de sa fille, Maryse, ensanglantée et inerte.

Aujourd'hui, Maryse Leclair aurait probablement des enfants, un époux, un chien et un chat, si Marc Lépine ne lui avait pas volé sa vie. Âgée maintenant d'une quarantaine d'années, elle poursuivrait certainement une brillante carrière d'ingénieure, passerait en coup de vent à la garderie pour aller chercher le plus jeune, avant de revenir dans la chaleur de son foyer pour superviser les devoirs des enfants et préparer le souper. Elle aurait comme plusieurs un joli bungalow en banlieue. Seuls ses amis, sa famille, ses patrons, connaîtraient son nom. Malheureusement, ce n'est pas ce qui s'est produit. La brillante étudiante a été arrachée à ses parents et à ses trois sœurs cadettes qui la pleurent encore.

Sophie Leclair, sa plus jeune sœur, avait dix-sept ans quand Maryse a été assassinée. Elle m'a rappelé alors que je tentais de rejoindre son père, Pierre Leclair, afin de l'avertir que j'écrivais ce livre. Je crois qu'en tant que journaliste, c'était faire preuve de respect que d'agir ainsi et je me suis même permis de lui offrir mes condoléances, de nombreuses années après le drame. Elle a semblé apprécier.

— Mon père est en voyage et préfère ne pas vous rencontrer pour vous parler du drame de l'École polytechnique.

— Je ne veux pas le rencontrer. Dites-lui seulement que son grand ami, le détective André Tessier, m'a parlé de Maryse. Il m'a raconté ce qui s'est véritablement passé en 1989. J'ai aussi une autre raison de vous contacter. Je veux en avoir le cœur net. Il y en a qui racontent que Marc Lépine et votre sœur se connaissaient. L'un d'entre eux a même téléphoné au chroniqueur judiciaire Claude Poirier pour lui dire qu'il a en sa possession une photo de Maryse et de Marc. Qu'en pensez-vous ?

Elle n'était pas surprise. Ce n'était pas la première fois qu'elle entendait de telles sornettes. Soulagée que j'aille droit au but et que je lui en parle avant d'écrire sur le sujet, Sophie Leclair m'a expliqué, patiemment, que Maryse n'avait jamais travaillé à l'hôpital Saint-Jude de Laval et ne connaissait pas Marc Lépine.

— Il y en a qui mêlent Maryse et cette lointaine cousine qui connaissait le tueur.

Puis, nous avons discuté de la mort, de la peine vécue par les familles des victimes et elle a partagé quelques réflexions avec moi.

— La mort de ma sœur m'a profondément bouleversée. Je crois que c'est la principale raison de plusieurs échecs dans ma vie, enfin je le crois. Toute la famille a appris à vivre avec un grand vide. Mon père est encore constamment sollicité par les médias. Ils veulent qu'il raconte ce qu'il a vécu. Il essaie d'oublier mais ce n'est pas facile. Savez-vous comment il a fait pour reconnaître le corps de Maryse lorsqu'il est entré, le 6 décembre 1989, dans l'École polytechnique ?

— Non.

— Maryse portait un chandail rouge, acheté quelques jours auparavant. Elle devait le mettre uniquement à Noël. Étudiante, elle n'avait pas beaucoup de sous et était tellement heureuse de son achat qu'elle s'était empressée de le montrer à mes parents dans les heures précédant le drame. Sans qu'ils le sachent, elle avait choisi à la dernière minute d'enfiler son chandail pour sa *présentation de fin de session. C'était un événement important dans sa vie. Quand mon père, relationniste de la police de Montréal, est entré dans la salle de cours du troisième étage et a aperçu une étudiante ensanglantée avec son magnifique chandail rouge, près du corps de Marc Lépine, il savait que c'était sa fille aînée qui était morte.*

Puis elle a ajouté quelque chose qui m'a fait réfléchir.

— Ma famille et moi avons déménagé à Québec il y a quelques années. Nous croyions qu'on nous laisserait tranquilles avec l'histoire de l'École polytechnique. Ce ne fut malheureusement pas le cas. J'étudiais et je travaillais à temps partiel dans un supermarché. Quand les clients apprenaient que j'étais la sœur de Maryse, certains me disaient à haute voix, sans réfléchir: «Ah non, t'es pas la sœur de celle qui s'est fait tuer par Lépine?» Toutes les fois, j'étais chavirée. Les gens devraient être plus respectueux!

Sophie Leclair préfère désormais cacher une partie de son passé. Elle me confie qu'à son travail, personne ne sait que sa sœur Maryse a été assassinée. Ce serait trop long et trop dur à expliquer. Et puis, après tant d'années, on pourrait croire que tout est terminé, que le deuil est fait. Impossible, comment pourrait-elle accepter qu'un déséquilibré se soit emparé de la vie de sa sœur âgée de seulement vingt-trois ans? Elle lui manque beaucoup trop.

J'aurais préféré que cette histoire, que je vous ai racontée, n'ait jamais eu lieu. À la place, j'aurais écrit une fiction. Il m'aurait alors été possible d'inventer des personnages et les faire disparaître si je les avais trouvés trop méchants, en raturant ce que je venais de composer. Il n'y aurait pas eu tous ces morts dans mon récit, et beaucoup, beaucoup moins de souffrance.

Mais ce n'est pas un roman. Je ne peux rien effacer. Marc Lépine, mon fils, a bel et bien existé et a détruit la vie de nombreuses personnes. Il a été l'un des premiers à commettre un acte aussi ignoble dans une institution d'enseignement. Depuis sa mort, d'autres jeunes ont suivi ses traces et ont tué leurs camarades dans plusieurs collèges et universités de différents pays, comme s'il s'agissait par moments d'une épidémie. Chaque fois, je suis bouleversée. Je ne comprendrai jamais pourquoi ils ont fait cela.

J'ai rencontré dernièrement une mère de famille pour qui je prie sans cesse. Son fils a commis, lui aussi, un crime horrible. Elle me ressemble, telle que j'étais il n'y a pas si longtemps. Elle marche péniblement, le dos voûté de honte. Elle se tapit dans sa maison, car elle craint ses voisins et surtout les journalistes. Elle a beaucoup de peine et de regrets. Cette femme n'est pas seule à cauchemarder. Elle est comme plusieurs autres parents atterrés et isolés aux quatre coins du Québec, de l'Amérique du Nord, du monde entier. Leur fils a commis un acte criminel, avant de s'enlever la vie.

Certains d'entre vous allez probablement vous reconnaître en moi. J'espère seulement que mon témoignage va vous donner un jour la force de sortir de chez vous et de goûter à nouveau au bonheur. Vous êtes en état de choc et ne pouvez pas raconter ce que vous ressentez présentement. Ne vous inquiétez pas, c'est normal. Vous vous sentez coupables et avez de la difficulté à comprendre pourquoi la vie se poursuit autour de vous alors que vous croyez mourir un peu plus chaque jour. Je sais qu'un jour ça ira mieux. Vous pouvez réussir à passer au travers en croyant à Dieu, comme je l'ai fait, ou en allant puiser une énergie nouvelle auprès de vos amis ou de votre famille qui souhaitent vous aider. Vous devez vous accrocher fermement au plus fort de la tempête et avoir confiance. Le temps va passer et deviendra un important allié. Il ne faut pas brusquer la nature des choses. La vie, c'est comme les saisons.

Je vois par ma fenêtre les feuilles d'automne qui se détachent des arbres et viennent mourir sur le sol spongieux. Une partie de ce qui a été disparaît, tranquillement. Le froid va bientôt s'installer. La vie nous jouera encore un mauvais tour. Le paysage deviendra triste, gris et nuageux. Ensuite, la blancheur de la neige nous fera espérer un peu de joie comme lorsque nous étions enfants. Quand nous ne pourrons plus la tolérer, après de nombreux mois trop froids, elle fondra sous la chaleur du soleil. Le printemps reviendra alors comme une renaissance inespérée, pour inonder de clarté nos pensées les plus sombres, au moment même où nous aurons déjà oublié comment il peut être doux de nous sentir revivre après un hiver trop long. J'ai connu toutes ces saisons émotionnelles. Il fait de plus en plus beau dans mon cœur! À soixante-dix ans, j'ai de plus en plus de projets à réaliser.

Lorsque j'ai décidé de participer à l'écriture de ce livre, dix-huit ans après la tuerie, je ne savais pas tout le bien que cela me ferait. Chaque dialogue rempli d'émotions, chaque rencontre avec les acteurs de la tragédie, m'a enlevé un poids énorme des épaules. Remonter le cours du temps fut pour moi un important traitement. Cela m'a également permis de revoir, pour la première fois depuis 1989, plusieurs amis que je croyais disparus à tout jamais de mon existence.

Louise-Andrée P. donnait la formation en soins infirmiers le 7 décembre 1989, dans un hôtel de Laval, quand j'ai appris que Marc était le meurtrier de l'École polytechnique. Je ne l'avais jamais su, mais Louise-Andrée a tout tenté pour me rejoindre après le drame. Ceux et celles qui me protégeaient lui répondaient que je n'étais pas là. Elle avait donc abandonné tout espoir de me reparler jusqu'à ce que quelqu'un la place à nouveau sur ma route.

— Madame Lépine, vous êtes la première personne à avoir cru en moi quand je vous ai proposé d'offrir aux responsables des soins infirmiers une formation fondée sur les arts. C'était assez avant-gardiste à l'époque, des gestionnaires qui dessinent et font des croquis pour exprimer leurs sentiments. Et puis, vous avez acheté ma flûte traversière lorsque je vous ai dit que je devais la vendre pour financer un de mes voyages en Europe. Avec votre grand cœur, vous m'avez donné beaucoup plus d'argent que prévu. Je ne l'oublierai jamais !

Je suis toujours surprise de constater jusqu'à quel point je suis importante pour des personnes que je croyais très loin de moi.

— J'ai tellement pleuré quand j'ai écouté votre témoignage à la télévision, en 2006. Je m'identifiais beaucoup à vous dans les moments difficiles. Tout le mal enfoui dans mon corps s'est évaporé après avoir versé mes larmes.

Celle qui pourrait être ma fille avait besoin de me revoir en chair et en os pour supprimer de ses pensées la lointaine image de la mère inconsolable et déprimée que j'ai déjà été. Elle me trouve rayonnante et cela la rassure.

— Je me suis fait beaucoup de soucis, me confie Louise-Andrée. Je ne savais pas si quelqu'un prenait soin de vous. Avant qu'on apprenne le nom du tireur de l'École polytechnique, une des participantes à la formation avait osé dire que la mère de cet homme troublé devait être une dépravée. J'avais répliqué qu'on ne doit jamais juger les parents de cette façon. Quand on a su que Marc Lépine était votre fils, tout le monde a été chamboulé.

Ce n'est pas la première fois que j'entends cette remarque négative. Quand les gens que je rencontre pour la première fois découvrent qui je suis, ils me disent souvent : on ne s'imaginait pas que la mère de Marc Lépine pouvait avoir une telle éducation ! Les préjugés sont nombreux dans notre société. Il y a heureusement des personnes comme Louise-Andrée qui prennent soin de réfléchir avant de parler et mettent toujours les choses en perspective. Je lui trouve un petit air de famille. Elle est passionnée dans tout ce qu'elle fait, comme moi.

La fille d'une de mes amies m'a dit l'autre jour que nous n'avons pas besoin d'être liés par le sang pour considérer les autres comme des membres de notre famille.

Il s'agit de les aimer. C'est d'ailleurs ce qui explique que cette fille m'appelle grand-maman ! Une autre jeune femme, Marie-Édith Blanchette, me considère comme sa mère, même si la sienne est toujours vivante. Seule, après avoir vécu avec un conjoint toxicomane, Marie-Édith a élevé ses deux fils comme elle a pu. Je l'ai aidée et je lui ai donné de nombreux conseils. En retour, elle m'a demandé d'être témoin à son mariage.

— Madame Lépine m'a appris à avoir confiance en moi et à foncer ! C'est ma petite maman, s'exclame Marie-Édith. Je n'ai jamais eu cette relation-là avec ma mère biologique qui ne m'a jamais encouragée.

Je croyais me retrouver seule après la mort de Marc et de Nadia. Je n'ai jamais eu autant d'enfants et de petits-enfants « adoptifs ». L'espoir d'un monde meilleur nous lie tous. Les bambins qui me prennent par le cou et me donnent des becs mouillés sur les joues ont mon innocence. Ils voient ce qui est beau et amusant.

Je n'aurais pas pu vous confier tout cela il y a quelques années, car l'épreuve que je traversais m'avait trop fragilisée. Et puis j'ai compris que tant qu'il y a de la vie, il y a de l'espoir. J'ai décidé de vivre plutôt que de mourir !

De temps en temps, pour me donner encore plus envie de profiter de chaque moment de ma vie, je ne peux m'empêcher de lire l'index des décès dans les journaux. Les photographies des défunts apparaissent sur plusieurs colonnes. Je ne les connais pas. Je les vois pour la première fois. Celle-ci était une mère aimante et est décédée d'un cancer à l'âge de cinquante-deux ans. Tel autre était un père dévoué de soixante-trois ans. La famille demande de faire des dons à la Fondation de l'institut de cardiologie. J'imagine toute la douleur vécue par les familles des défunts. Une épouse, un enfant, un frère, une sœur, ont tous le cœur brisé et, souvent, de la difficulté à croire qu'ils pourront être heureux à nouveau. Je prie alors pour ces familles meurtries, mais je ne le fais jamais pour les défunts. Les morts n'ont pas besoin de notre aide. Dieu s'en occupe. Ce sont les vivants que nous devons soutenir !

Aimer la vie intensément, malgré les deuils, l'horreur, les drames, ça s'apprend. Ce n'est pas inné. C'est un exercice qu'il faut pratiquer chaque jour. Nous avons le choix d'emprunter l'un des deux chemins tracés devant nous : celui de la mort ou celui de la vie. Dès le moment où nous prenons la décision de foncer sur la route de l'existence, nous pouvons croiser des êtres merveilleux qui nous aideront à contourner les obstacles. Ce sont des anges. Il est probable que j'en aie rencontré quelques-uns depuis la mort de Marc et de Nadia. Ils n'ont pas d'ailes, ni de grandes robes blanches. Mais quand on s'approche d'eux, on sent beaucoup d'amour, de compassion et de respect. Ils nous prennent quelquefois par la main pour nous permettre d'enjamber plus facilement les barrières fabriquées par nos esprits inquiets.

Je vous ai raconté qu'un de ces anges m'a fait redécouvrir Dieu en 1981. Je lis la Bible tous les jours pour m'apaiser et je peux réciter par cœur de nombreux psaumes. Mais ce n'est pas cela le plus important. Ce n'est pas la parure qui compte. C'est l'enseignement que j'en retiens et qui fait battre mon cœur. Il aurait été trop facile pour moi d'abdiquer et de maugréer constamment contre les vicissitudes de la vie. J'ai choisi d'aimer et d'aider les autres. Je n'accomplis rien d'extraordinaire. J'essaie de faire ce que j'aimerais qu'on me fasse. Cela se traduit par des actes très simples, conditionnés par ma foi et mon désir de plaire au Seigneur. Dernièrement, je voyais deux femmes marcher dans le vent. Elles allaient prendre l'autobus. Je leur ai offert de les conduire, ce qu'elles ont apprécié. Je n'offrirai jamais mes services pour chanter une opérette ou piloter un avion. J'en suis incapable. Par contre je peux peinturer, faire des courses, des travaux ménagers pour me rendre utile au lieu de me morfondre dans mon salon.

Quand on donne, on reçoit tellement. Je veux qu'il en soit ainsi jusqu'au moment où je cesserai de respirer. C'est ce qui me remplit de joie et me fait vivre des expériences extraordinaires.

Caché par un épais brouillard, le pénitencier de Laval avait un aspect fantomatique. Imposant et lugubre avec ses pignons et son interminable clôture munie de fil de fer barbelé, l'institut Leclerc, tout droit sorti d'une époque terrifiante, celle de la guerre froide, a été construit en 1960. Avec ses 481 cellules exiguës, c'est l'un des plus importants centres correctionnels du Canada. Monique Lépine n'avait jamais mis les pieds dans une telle forteresse lorsqu'elle s'y est présentée en 2006. Elle s'était déjà rendue à la prison provinciale de Bordeaux, pour visiter le «grand frère» de Marc, plusieurs années plus tôt, mais ça n'avait aucune mesure avec ce qu'elle percevait aujourd'hui.

Une religieuse, dévouée à la cause de la réinsertion sociale des détenus, lui avait demandé, quelques mois après son apparition à la télévision, de participer au programme de justice réparatrice. Il s'agit de faire prendre conscience aux prisonniers du mal qu'ils ont fait, dans le but de les réhabiliter et d'aider les victimes à retrouver la paix intérieure en exprimant ce qu'elles ressentent. Monique Lépine avait accepté de partager ses sentiments avec un tueur. Elle était convaincue que cela leur permettrait tous deux de se rétablir. Elle n'était pas la seule à tenter l'expérience : on lui avait dit qu'une autre victime, fraudée, se confierait à un voleur. Au total, quatre participants feraient face, à tour de rôle, à quatre bagnards, sous l'œil attentif des animateurs et du responsable de la pastorale du pénitencier.

Je me sentais observée et j'étais craintive. La réunion devait avoir lieu dans la chapelle de l'établissement carcéral mais, avant d'y parvenir, nous devions traverser des couloirs froids et intimidants tout en franchissant de nombreuses portes de fer barrées. Elles faisaient un fracas épouvantable quand elles se refermaient sur nous. Les gardiens prenaient soin de nous fouiller et de nous soumettre au détecteur de métal, craignant sûrement que nous transportions des armes ou de la drogue destinées aux captifs.

Je n'avais pas encore vu les prisonniers mais déjà, de l'autre côté des murs et des épais barreaux, je pouvais entendre l'écho de leurs voix. Je les imaginais, semblables à des bêtes en cage, n'ayant aucune maîtrise sur le temps qui s'écoulait trop lentement. Si Marc avait été arrêté et condamné à la prison à vie, je n'aurais jamais pu m'habituer à venir lui rendre visite dans un endroit aussi humiliant. J'aurais préféré mourir plutôt que de me présenter à heures fixes au parloir pour des visites surveillées et me faire regarder de travers par les autres détenus et les agents correctionnels.

Après de longues minutes d'attente et de contrôles, nous sommes finalement parvenus à la petite chapelle de l'institution. Je me sentais beaucoup mieux, dans cet environnement propice au partage. Je ne connaissais pas le nom du prisonnier avec qui j'allais être jumelée. Il est finalement apparu, costaud, avec des cheveux blancs, portant un tee-shirt et un jean. Son visage rond et pâle dégageait un air de bonté. Si je l'avais rencontré dans le monde civilisé, j'aurais pu le prendre pour un policier. Il en aurait certainement eu l'étoffe, mais avait préféré être dans le camp adverse depuis la fin de son adolescence. Il gesticulait sans arrêt comme s'il avait été trop souvent privé de ses mouvements durant ses nombreuses années passées dans un cachot. Ses mains épaisses m'impressionnaient. Elles avaient, à n'en pas douter par son aspect enjôleur, déjà servi à étreindre des femmes, mais aussi à tuer un homme, ai-je appris, alors qu'il n'avait que vingt-trois ans.

Il séjournait en prison depuis bientôt un quart de siècle et le disait avec détachement. Il savait ce que voulait dire la liberté, pour y avoir goûté jadis, mais ne croyait plus jamais l'obtenir tellement sa hargne contre le système de justice, les gardiens de prison et la police avait été grande. Il aurait pu être libéré bien avant, mais il avait essuyé de nombreux refus de la part de la Commission nationale des libérations conditionnelles, jusqu'à ce qu'il change complètement sa manière de penser et d'agir. Un agent correctionnel, en qui il avait confiance, lui avait expliqué qu'une bonne conduite lui vaudrait une mise en liberté. C'est ce qui allait se produire dans quelques semaines.

Le détenu Sylvain Leclerc venait de me révéler son identité. L'homme de quarante-neuf ans n'avait souvent été qu'un numéro matricule pendant son incarcération. Il sentait le besoin de redevenir encore plus humain et de parler à quelqu'un qui, pour la première fois depuis trop longtemps, l'écouterait attentivement.

— Je me suis fait arrêter par la police à l'âge de dix-neuf ans. Je fabriquais de faux mandats postaux et je les écoulais partout au Québec. Un juge m'a condamné à quatre ans de pénitencier. Je bravais les gardiens. J'ai passé cinquante-sept journées consécutives dans le trou parce qu'on m'accusait d'avoir participé à une émeute sanglante !

— Pourquoi est-ce que tu agissais comme cela ?

— On blâme souvent les parents, mais ce n'est pas à cause d'eux. À ma naissance, ma mère était trop malade pour s'occuper de moi, alors j'ai été hébergé par quelques familles d'accueil. À l'âge de neuf ans, j'ai été adopté par des agriculteurs de la région de Drummondville. Ils m'ont tout donné. Un jour, cependant, mon père a refusé de m'acheter une voiture. J'avais seize ans et, sur un coup de tête, je suis parti faire ma vie en ville. Ça m'a conduit en enfer !

Sylvain Leclerc a vécu de très mauvaises expériences derrière les murs. Il me raconte avoir vu un détenu se faire assassiner par un autre parce qu'il lui avait volé une tranche de bacon. Un second a été poignardé pour une niaiserie : il avait changé la chaîne de télévision, dans la salle commune, sans demander la permission à un plus vieux prisonnier.

— Deux autres gars m'ont pris en souricière et ont tenté de m'agresser sexuellement. J'ai été sauvé par un motard criminel qui imposait le respect. Quand je suis sorti la première fois, après quatre ans de tôle, j'étais tellement enragé ! Pour me venger, j'ai commis un vol dans la résidence d'un homosexuel et je lui ai asséné un coup de couteau quand il m'a surpris en flagrant délit. Je l'ai tué !

Sylvain a été condamné à la prison à vie avec la possibilité d'être libéré après treize ans. Entêté, il n'a pas mérité son sursis avant onze autres années.

— Pourquoi me racontez-vous tout cela ? lui ai-je demandé candidement.

— À mes yeux, vous représentez ma mère. Elle est morte quand j'étais en dedans ; elle avait la maladie d'Alzheimer.

Après son témoignage, il a tout d'abord refusé d'entendre le mien, la semaine suivante, puis s'est ravisé.

— La douleur d'une mère, c'est insupportable ! Je ne voulais pas vous voir souffrir. Ça me faisait trop mal. Il était tout de même important pour moi de savoir jusqu'à quel point votre fils avait gâché votre vie. Moi, je crois qu'il était malade.

J'ai revu Sylvain Leclerc peu de temps après sa sortie du pénitencier, durant l'hiver de 2008. Il m'a alors confié qu'il n'avait jamais discuté de ses émotions avec les autres délinquants. Cela aurait été un signe de faiblesse dans un espace où seuls les plus forts ont le dessus. Désormais, il n'était plus le condamné bourru que les gardiens avaient maté. J'avais devant moi un enfant qui n'avait que d'énormes regrets.

— Lors de ses nombreuses visites, ma mère ne m'a jamais parlé de la douleur que je lui ai fait subir. Je ne lui ai jamais demandé non plus comment elle se sentait. J'aurais voulu qu'elle me serre dans ses bras et me dise je t'aime, mais je ne me rappelle pas si elle l'a déjà fait. Mon père non plus d'ailleurs. La première fois que je l'ai serré dans mes bras, c'était il y a cinq ans.

Marc était tout le contraire de Sylvain Leclerc. À l'adolescence et à l'âge adulte, il n'a jamais voulu que je le serre dans mes bras. J'ai retrouvé un certain réconfort et j'ai fait de la projection lorsque j'ai commencé à raconter ma triste histoire à Sylvain. J'ai versé des larmes. Il s'est rapproché de moi pour me caresser le dos. Pour un instant, il représentait mon fils, celui avec qui j'aurais souhaité partager tant de confidences.

— Après vingt-quatre ans de détention, j'ai compris ce que des parents peuvent vivre quand leur enfant commet des gestes impardonnables. Jamais je n'avais réfléchi à cela auparavant même si derrière les barreaux on a la perpétuité pour penser. Je demande pardon.

La rencontre de Sylvain Leclerc m'a beaucoup apporté. En me confiant que ses parents n'ont jamais été responsables de ses actes, il m'a rassurée. Je ne suis peut-être pas coupable autant que je le crois du comportement meurtrier de mon fils. Et puis, avant de commettre l'irréparable, Marc n'a sans doute pas réfléchi à tout le mal qu'il me ferait. Sylvain n'y a jamais songé, lui.

— Au mois de mai 2007, quand je suis sorti du pénitencier pour aller en maison de transition, mon père m'a dit : mon fils tu as payé ta dette à la société. C'est impossible. J'aurai toujours le meurtre d'un homme sur la conscience. J'ai une seconde chance. Je travaille comme soudeur dans une entreprise familiale où les propriétaires et les employés croient à la réinsertion sociale, mais je serai toujours prisonnier de ce que j'ai fait dans ma jeunesse.

Je partage ce sentiment déchirant avec Sylvain Leclerc. Pendant quelques heures nous nous sommes libérés de nos jugements, mais nous ne pourrons jamais connaître une totale délivrance même si nous avons réussi à cicatriser certaines blessures et avons trouvé un nouveau sens à la vie.

J'ai toujours en tête l'image de la *Pietà*. C'est une statue de marbre de Michel-Ange qui orne une petite partie de la basilique Saint-Pierre au Vatican. Elle représente la Vierge Marie douloureuse, tenant sur ses genoux le corps du Christ descendu de la croix, avant sa mise au tombeau. J'ai immédiatement été charmée par cette œuvre il y a quelques années, en la voyant dans un livre. On peut ressentir tout l'amour de Marie pour son fils. Une mère ne peut pas abandonner son enfant, quoi qu'il fasse.

Je m'ennuie souvent de Marc et de Nadia. Certaines journées, j'ai la sensation que leur tête est appuyée sur mes genoux et que je traverse les épreuves avec eux. Je les reverrai peut-être un jour là-haut et nous aurons une bonne conversation. Ils savaient ce qu'ils faisaient et auront à rendre des comptes à leur Créateur si ce n'est pas déjà fait.

Notre passage sur terre est bref. Plus les années passent et plus j'en prends conscience. Depuis mon cours d'infirmière, en 1956, je côtoie régulièrement la mort. J'ai dû l'apprivoiser. Mon père est décédé en 1981. Je l'ai accompagné jusqu'à son dernier souffle. Dix ans plus tard, j'étais au chevet de ma mère et je lui ai fermé les yeux pour son dernier repos. J'ai dû ensuite accepter les décès de mes frères et de mes enfants.

La mort ne me fait plus peur ! Je crois à la vie éternelle. Avant d'y arriver, dans vingt ou vingt-cinq ans, je souhaiterais rencontrer l'homme dont je rêve et partager de bons moments. Je pourrais ensuite partir tout doucement avant lui. Je voudrais être lucide jusqu'à la fin pour le savoir assis auprès de moi. Il me tiendrait par la main en me lisant calmement le psaume du Berger[7].

> L'Éternel est mon berger
> Je ne manquerai de rien
> Il me fait reposer dans de verts pâturages,
> Il me dirige près des eaux paisibles.
> Il restaure mon âme.
> Il me conduit dans les sentiers de la justice,
> À cause de son nom.
> Quand je marche dans la vallée de l'ombre de la mort,
> Je ne crains aucun mal, car tu es avec moi.
> Ta houlette et ton bâton me rassurent.
> Tu dresses devant moi une table
> En face de mes adversaires
> Tu oins d'huile ma tête,
> Et ma coupe déborde.
> Oui, le bonheur et la grâce m'accompagneront
> Tous les jours de ma vie.
> Et j'habiterai dans la maison de l'Éternel
> Jusqu'à la fin de mes jours.

---

7. La Bible (Louis Segond), Psaume 23.

De ses mains ridées et de ses doigts gercés, après avoir trop besogné, il fermera mes yeux, puis s'occupera de me faire incinérer. Mon dernier souhait, c'est d'être enterrée auprès de Marc et de Nadia. Je les aime toujours malgré ce qu'ils ont fait. Ce sont mes enfants. Je leur ai donné la vie.

Cet ouvrage a été composé en New Baskerville corps 12/14
et achevé d'imprimer sur les presses de Quebecor World
Saint-Romuald, Canada, en octobre 2008

Imprimé sur du papier Quebecor Enviro 100 % postconsommation,
traité sans chlore, accrédité Éco-Logo et fait à partir de biogaz.

certifié   procédé   100 % post-   archives   énergie
         sans   consommation   permanentes   biogaz
         chlore